TŶ AR Y TYWOD

Tŷ ar y Tywod

Gwenlyn Parry

Argraffiad cyntaf—2003

ISBN 1 84323 295 2

Cyhoeddir yr argraffiad hwn gyda chymorth ACCAC a CBAC.

Argraffwyd gan
Gwasg Gomer, Llandysul, Ceredigion SA44 4QL

Tŷ ar y Tywod

Cyflwynwyd y ddrama hon am y tro cyntaf ar y llwyfan gan Gwmni Theatr Cymru yn Eisteddfod Genedlaethol y Barri, 1968, ac wedyn ar daith yr Hydref yr un flwyddyn.

Cyflwynwyd y ddrama gyntaf ar y teledu gan y BBC, Nos Sul, Rhagfyr 22, 1968.

AWGRYM AR GYFER CYNHYRCHU

Yn Eisteddfod Genedlaethol y Barri fe ddefnyddiodd y cynhyrchydd *Ddelw* a *Merch* (Gaynor Morgan Rees) i chwarae rhan Lisa.

Yng nghorff y ddrama yr wyf wedi nodi gyda * pryd y gellid newid y ferch am y ddelw heb i'r gynulleidfa weld y weithred.

G.P.

Cymeriadau:

Gŵr y Tŷ
Lisa
Llanc
Merch
Gŵr y Ffair

ACT 1

Cyfyd y llen i ddangos ystafell afreal a bregus iawn yr olwg. Gellid yn hawdd fod wedi ei hadeiladu o gardiau papur gan mor frau yr ymddengys. Gwelwn fod rhai o'r muriau wedi cracio oherwydd ansicrwydd y seiliau, ac y mae pyst pren yn dal rhannau o'r to i fyny. Y mae rhywfaint o'r adeilad eisoes wedi suddo i'r tywod. Yn y mur cefn, mae drws yn arwain yn syth allan i'r traeth, ac fe ellir clywed y môr yn suo'n dawel heb fod ymhell i ffwrdd. Ar y chwith, mae cwpwrdd gweddol fawr ac wrth ei ochr, mynedfa arall yn arwain i'r ystafell gefn. Yn y mur ar y dde, mae ffenestr gyda llenni tenau, bratiog, wedi eu tynnu drosti, ond y mae golau'r haul o'r tu allan yn llifo i mewn drwyddynt. Yn hongian ar y mur wrth ochr y ffenestr, mae ysbienddrych. Yr unig ddodrefn yn yr ystafell, ar wahân i'r cwpwrdd, yw bwrdd, cadair a gwely.

Ymhen ychydig eiliadau, clywir y drws allanol yn cael ei ddatgloi, a daw gŵr i mewn tan gario rhywbeth sy'n ymddangos fel corff dynol tan orchudd gwyn. Gyda chryn drafferth, rhydd y corff i orwedd ar y gwely cyn rhuthro yn wyllt a phryderus i gloi'r drws ar ei ôl. Mae wedi ei wisgo yn eithaf hafaidd (côt liain olau, sandalau, etc.), ac ymddengys yn flêr heb fod yn fudur. Ar ei drwyn mae'n gwisgo spectol drwchus, ac y mae ganddo herc amlwg yn ei goes chwith. Wedi cloi'r drws, rhuthra at y ffenestr gan ddefnyddio'r ysbienddrych i edrych allan drwyddi.

GŴR Y TŶ (*allan o wynt braidd*): Na . . . dim adyn byw yn unlle . . . Neb yn ame . . . neb yn gwybod. (*Mae Gŵr y Tŷ yn hongian yr ysbienddrych yn ôl ar y mur ac yna troi i edrych i gyfeiriad y 'corff' ar y gwely. Mae'n nesáu yn araf tuag ato gyda golwg gynhyrfus ddifrifol ar ei wyneb, ac wedi ei gyrraedd, dadorchuddia'r pen yn betrusgar. Gwelwn wyneb merch ifanc.*)

GŴR Y TŶ (*yn edrych arni yn gariadus*): Cysgu wyt ti o hyd, fy mechan i . . . mor welw . . . mor eiddil. Ond rwyt ti'n ddiogel nawr—heb boen na phryder (*Mae'n anwesu ei grudd yn dyner*) . . . ond eto'n oer—yn oer a llonydd . . . (*Mae'n taflu'r gorchudd o'r neilltu ac yn ei chodi yn ei ddwylo unwaith eto*) . . . Paid ti â phryderu nawr . . . wna i ddim dy ollwng di. (*Mae'n gosod y 'corff' i sefyll ar ei draed a gwelwn am y tro cyntaf mai delw gŵyr sydd ganddo. Delw ydyw o ferch ifanc brydferth gyda golwg drist ar ei hwyneb. Mae gwisg garchar hen ffasiwn amdani, a'i dwylo wedi eu clymu mewn cyffion. Saif Gŵr y Tŷ am eiliad neu ddau i syllu ym myw ei llygaid gwydr sefydlog ac yna ar ei dwylo.)*

GŴR Y TŶ: Petawn i . . . petawn i'n cael dy ddwylo di'n rhydd . . . (*Mae'n bodio'r cyffion ac yn anwesu ei breichiau*) . . . yn rhydd i chwifio . . . a chynnal . . . i blethu ac i anwesu . . . (*Mae golwg bell fyfyrgar ar ei wyneb yn awr*) . . . i'w cydio yn y tywyllwch . . . (*Mae fel petai'n cofio am rywbeth yn sydyn*) . . . Aros di funud, mae gen i lif bach yn rhywle . . . (*Mae'n meddwl*) . . . nawr 'te, ble mae hi? . . . dim ond yr wythnos ddwetha . . . aha! (*Mae'n cofio ble mae ac yn agor drôr y bwrdd. Ar ôl chwilota am ychydig, daw o hyd iddi.*)

GŴR Y TŶ: Dyma hi! (*Mae'n cerdded yn eiddgar yn ôl at y ddelw gyda llafn llif fetal yn ei law*) Fe dyrr hwn trwy rywbeth gyda tipyn o amynedd . . . a dyfalbarhad. (*Mae'n penlinio o'i blaen; rhythu ar y cyffion ac yn dechrau llifo'r gadwyn yn eiddgar*) Fyddwn ni ddim yn hir yn awr. (*Ar ôl llifo am ychydig, erys am ennyd eto gyda'r olwg freuddwydiol ar ei wyneb*) . . . Mi fyddet ti yno hyd dragwyddoldeb, wyddost ti, oni bai amdana i . . . a phawb yn . . . yn rhythu a gwawdio—un ar ôl y llall drwy'r dydd . . . bob dydd . . . (*Mae'n ymysgwyd o'i freuddwyd eto ac yn edrych ar wyneb y ddelw*) . . . Beth dd'wedodd y pethe Ffair yna tybed pan sylwon nhw dy fod ti wedi mynd . . . Os sylwon nhw hefyd . . . doeddet ti ddim ond un mewn tyrfa . . . tyrfa oer unig . . . wedi'ch rhewi'n oes oesoedd . . . Ond fe weles i'r boen y tu ôl i'th lygaid llonydd . . . y boen a'r ofn. (*Mae'n dechrau llifio eto tan chwerthin wrtho'i hun*) Ond fe ges i ti allan o'r lle, on'do fe . . . Fe achubais di—reit o dan 'u trwyne nhw. Diawch! hoffwn i fod wedi bod yno i weld 'u hwynebe nhw. (*Saib i feddwl*) Falle caiff y ddau sac am fod mor esgeulus . . . Mae hynny yn eitha posib, wyddost ti . . . o odi . . . achos dim ond gweision bach odyn nhw. (*Daw golwg o gasineb i'w wyneb*) . . . Fe sy berchen y lle—Gŵr y Ffair. Rwy wedi'i weld e droeon yn 'u bwgwth nhw am ryw flerwch neu'i gilydd . . . a hwythau'n crynu gan ofn. (*Gwena unwaith eto*) Ond chaiff o mo'i ffordd 'i hunan 'da fi . . . Wyddet ti . . . wyddet ti 'i fod o wedi ceisio'i ore glas i 'nghael i i symud o fan hyn. (*Mae'n edrych o gwmpas yr ystafell*) Mae am dynnu'r lle i lawr medde fe . . . er mwyn ehangu'i dipyn Ffair. Mae o wedi trio bob tric posib i gael gwared ohono i . . . anfon y plant i aflonyddu . . . gofyn i'r awdurdode gondemnio'r lle . . . cynnig arian mawr imi . . . Edrych (*Mae'n tynnu pentwr o lythyrau allan o focs esgidiau*) . . . Dyma nhw iti—degau o lythyrau oddi wrtho fo'n cynnig ffortiwn i mi am y lle . . . ond wna i ddim symud i'r cythral . . . pam dylwn i . . . mae gen i gystal hawl i'r traeth yma â neb . . . ac mae gen i gynllunie . . . mae gen i gynllunie i ailgodi'r hen le yma. I osod gwell sylfaen. (*Mae'n edrych o'i gwmpas ac yn rhoi ei law ar un o'r props pren sy'n dal rhan o'r to i fyny*) . . . Wnaiff o . . . wnaiff o ddim suddo i'r tywod wedyn . . . Sylfaen o goncrit a muriau cerrig yn lle coed bregus dda i ddim. Wnaiff yr heli ddim bwyta trwy'r rheini, a pheth arall, mae'r awdurdode wedi addo dod â dŵr yma—ond i mi dalu hanner y pris . . . a thrydan . . . a charthffos . . . Mi fydda i ar ben fy nigon wedyn . . . unwaith y caf fi ddigon o arian. (*Ysbaid o feddwl dwys yn awr, yna ymysgwyd o'i freuddwyd a throi eto at y ddelw*) Ond ddaw yna ddim Ffair i'r ochr yma o'r traeth—dim tra bydda i byw! . . . Fi sy berchen fan hyn . . . Fi a ti. (*Mae'n anwesu gwallt y ddelw*) . . . Dim ond ni'n dau yn gysur i'n gilydd . . . (*Mae'n tynnu ei law i lawr ei chefn a dechrau bodio brethyn bras ei gwisg garchar*) . . . Petawn i ond yn cael dy ddwylo di'n rhydd . . . (*Mae'n rhythu ar gadwyn y cyffion*) . . . Odi'r llif yma'n cael rhyw effaith dwêd? (*Mae'n amlwg ei fod yn ei chael yn anodd i weld drwy'r sbectol gan fod ei drwyn bron yn cyffwrdd y gadwyn*) . . . Drato'r sbectol felltith yma . . . (*Mae'n tynnu'r sbectol ac yn glanhau'r gwydrau â godre ei gôt, ac yna yn rhythu unwaith eto ar y gadwyn.*) . . . dyna ni . . . gwelliant . . . odi! . . . odi, myn gafr, rwy bron trwodd yn barod. (*Mae'n dechrau llifio eto, yn awr gyda brwdfrydedd newydd*) . . . Fydda i ddim yn hir . . . dyfalbarhad . . . (*Mae'r gadwyn yn torri*) . . . Dyna ni! (*Yn orfoleddus yn awr*) 'Ti'n rhydd . . . Wyt ti'n 'nghlywed i? . . . mae dy ddwylo di'n rhydd . . . i chwifio . . . ac i anwesu . . . i wasgu a chofleidio. (*Diflanna'r gorfoledd yn araf o'i wyneb wrth iddo sylweddoli fod y ddelw mor farw ag erioed—gyda'i dwylo yn yr un safle yn union â chynt. Saib hir o ddistawrwydd fel y mae'n rhythu arni.*) . . . Y wisg yna 'di'r drwg. (*Mae'n cerdded yn frysiog at gist sydd ganddo yng nghornel yr ystafell*) Sut gelli di anghofio'r gorffennol a honna amdanat ti. (*Mae'n agor caead y gist a chodi pentwr o ddillad amrywiol ohoni*) . . . ond aros di funed, ryden ni'n saff o rywbeth i ti fan hyn. (*Ymhellach ymlaen, caiff ei gyhuddo o fod wedi dwyn y dillad yma oddi ar y traeth*) Rown i'n gwybod y deuai'r rhain yn handi ryw ddydd. (*Mae'n didoli'r dillad tan chwerthin yn foddhaus*) . . . nawr 'te, beth am hon. (*Daw o hyd i wisg a deil hi i fyny o flaen y ddelw ond mae'n amlwg ei bod lawer yn rhy laes iddi*) . . . Dda i ddim. (*Teifl hi'n ôl i'r gist a dechrau chwilio am un arall*) . . . Beth am hon, 'te? (*Daw o hyd i un arall tipyn mwy lliwgar a phan ddeil hi fyny o flaen y ddelw gwelwn fod patrymau optical* *modern arni, ond ei bod yn edrych braidd yn gwta*) . . . I'r dim! . . . Campus! . . . Aros di nawr 'te . . . (*Mae'n edrych ar y ddelw am ennyd gan roi ei law yn betrusgar ar ei gwisg. Daw rhyw swildod rhyfedd drosto. Mae'n tynnu'r wisg garchar yn drwsgl gan edrych y ffordd arall. Pan wêl fod y ddelw'n gwisgo pais ddu, mae'n edrych yn fwy cysurus, a rhydd y wisg fodern amdani tan fwmian canu. Wedi iddo'i gwisgo, mae'n camu'n ôl i edmygu'r olygfa ond sylwa am y tro cyntaf bod hem laes y bais ddu tua throedfedd yn is na'r wisg fodern. Dylai hyn wneud i'r ddelw edrych yn fwy pathetig nag erioed.*) . . . Hm! . . . Aros di . . . (*Mae'n mynd i nôl siswrn*) . . . Fydda i ddim yn hir yn setlo hynny . . . (*Mae'n penlinio wrth y ddelw fel petai ar fin torri'r hem, ond erys yn sydyn fel petai newydd feddwl am rywbeth*) . . . Nawr 'te, gan bwyll . . . mae ffordd i wneud popeth ond i rywun 'i weithio fe mâs yn bwyllog . . . ia . . . dyna fe . . . (*Mae'n sythu o flaen y ddelw ac yn gwthio'r siswrn dan y wisg i dorri llinynnau ysgwyddau'r bais. Wedi gwneud hyn, mae'n penlinio eto ac yn rhoi plwc i odre'r bais. Disgynna'r cyfan yn dwt o gylch traed y ddelw.*) . . . Dyna ni! (*Mae'n chwethin wrth ei fodd. Yn y man, distawa, a daw golwg mwy difrifol i'w wyneb.*) . . . Dyna ti, fy nghariad i . . . mor ifanc . . . mor brydferth . . . (*Clywir lleisiau dau yn chwerthin heb fod ymhell y tu allan*) . . . Beth oedd hwnna? . . . (*Cynydda'r lleisiau a chlywn mai mab a merch ydynt. Daw golwg ofnus dros wyneb Gŵr y Tŷ.*) Nhw! . . . nhw sy 'na (*Mae'n cario'r ddelw yn frysiog i'r cwpwrdd**) . . . wedi dod i chwilio amdanat ti. (*Mae'n cloi'r drws a rhoi'r allwedd yn ei boced*) . . . ond chân nhw . . . chân nhw mohonot ti . . . mi ofala i am hynny . . . (*Mae'n gafael yn yr ysbienddrych ac edrych allan drwyddi*) . . . Na! . . . (*Daw tinc o ollyngdod i'w lais.*) . . . Na, nid nhw odyn nhw, diolch i Dduw—Ymwelwyr! . . . ie, dim ond ymwelwyr sy 'na—pâr bach ifanc yn mynd i nofio. (*Mae'n rhythu allan gyda diddordeb mawr yn awr*) . . . Nawr 'te . . . ble ma'n nhw wedi gadael eu dillad . . . (*Mae'n edrych i fyny ac i lawr y traeth*) . . . Falle'u bod nhw wedi newid yn y gwesty . . . na! (*Wedi ei gynhyrfu yn awr*) . . . dacw nhw, myn gafr i . . . Fan acw wrth yr hen jeti . . . (*Mae'n chwerthin yn foddhaus*) . . . dau bentwr bach destlus . . . mi ân nhw i'r môr yn y funed, ac wedyn, fydda i fawr o dro . . . (*Mae'n sylwi ar rywbeth yn sydyn*) . . . Duwedd mawr, man a man iddi fod heb ddim na gwisgo dim ond hynny . . . Mm! . . . siapus . . . deniadol iawn . . . cerdded law yn llaw . . . cicio'r tywod yn gawodydd melyn . . . chwerthin a chellwair . . . (*Clywir sŵn miwsig ffair yn y pellter*) . . . Drato'r hyrdigyrdi 'na—ma'n nhw'n rhedeg i'r Ffair . . . a . . . a mynd â'r dillad . . . rhedeg i ffwrdd . . . (*Rhydd ei ysbienddrych i lawr gyda golwg drist arno*) . . . Mae pawb yn mynd i'r Ffair . . . pawb . . . (*Daw golwg bell freuddwydiol i'w wyneb fel petai'n hiraethu am fynd i'r ffair ei hunan ond yn sydyn mae'n ymysgwyd o'i freuddwyd*) . . . Nhw a'u Ffair Wagedd . . . Randibŵ o fore gwyn hyd nos . . . (*Mae'n eistedd i lawr*) . . . Roedd hi'n dawel braf 'ma ers talwm . . . a digon o ffrindie . . . digon yn galw . . . (*Daw'r olwg freuddwydiol yn ôl i'w wyneb*) . . . o, oedd, roedd gen i ddigon o ffrindie bryd hynny . . . (*Mae'n gwenu*) . . . ac ambell ferch . . . wel, amryw ohonyn nhw, i ddweud y gwir . . . Roedd rhywbeth . . . Roedd 'na rywbeth o 'nghylch i oedd yn denu merched . . . roedden nhw'n heidio o 'nghwmpas i, dim ond i mi ddangos fy ngwyneb . . . rwy'n cofio'n iawn . . . (*Mae yn ei fyd breuddwydiol eto yn awr*) . . . Sioned â'i chroen fel marmor gwyn . . . wedyn, Einir—un fywiog oedd hi . . . ac yna Bethan . . . ie, Bethan â'i gwallt modrwyog euraidd—yn gariadus . . . yn gariadus iawn . . . Fe allwn i fod wedi cael unrhyw un ohonyn nhw petawn i . . . petawn i isio. (*Mae'n cofio'n sydyn am y ddelw yn y cwpwrdd a brysia ato a datgloi'r drws. Edrych yn hir ar y ddelw, a chlywn fiwsig y ffair yn cynyddu'n araf.*) . . . A gaf fi'r pleser o'r ddawns yma, madam? (*Mae'n moesymgrymu iddi. Daw'r ddelw yn fyw a cherdded allan o'r cwpwrdd eto. Rhydd ei freichiau amdani a dechreua'r ddau ddawnsio'n gyflym o gwmpas yr ystafell. Yn sydyn, mae carreg yn cael ei thaflu i mewn drwy'r ffenestr gan falu'r gwydr yn deilchion. Y foment honno, saif y ddau fel petaent wedi eu parlysu. Clywir lleisiau plant y tu allan yn canu'n uchel.*)

LLEISIAU'R PLANT: Dyn bach mewn sianti
Yn byw ar swnd a heli
Hanner pan! Hanner pan!
Seilam mae dy le di.

GŴR Y TŶ: Plant y Ffair yna eto. (*Yn rhedeg at y ffenestr a'i hagor*) Mi'ch riportia i chi am hyn . . . o, gwnaf . . . mi'ch riportia i chi. (*Mae'r ddelw'n dal yn llonydd yn ei hunfan*)

LLEISIAU'R PLANT (*yn canu'n brofoclyd*): Dim yn gall! Dim yn gall! Seilam mae dy le di.

GŴR Y TŶ: Ewch adre'r cnafon drwg . . . Ffwrdd â chi! (*Mae ei lais yn nerfus a chrynedig fel petai braidd yn ofnus o'i aflonyddwyr ifanc*)

LLEISIAU'R PLANT (*yn dal i chwerthin a gwawdio*): Hanner pan! Hanner pan!

GŴR Y TŶ: Os do' i mas, byddwch chi'n flin . . . (*Mae'r plant i'w clywed yn rhedeg i ffwrdd tan chwerthin*) . . . Ie, hawdd gellwch chi redeg i ffwrdd nawr. (*Mewn gwirionedd, mae'n falch eu bod yn gwneud*) . . . chi'n gwybod be' fydde'n digwydd . . . (*Mae'n cau'r ffenestr ac yn dychwelyd yn drist i ganol yr ystafell*) . . . Glywaist ti nhw? . . . y pwdrod bach digwilydd . . . ond ma'n nhw wedi mynd rhy bell tro hyn . . . Fe'u riportia i nhw . . . Fe gân dalu am y ffenestr 'na . . . (*Mae'n eistedd i lawr wedi cynhyrfu'n lân*) . . . Mae o'n 'u gyrru nhw yma bob dydd fel hyn i fy nhormentio i . . . (*Dechreua rwbio'i goes gloff*) . . . Mi fyddwn i wedi rhedeg a'u dala nhw hefyd oni bai am yr hen goes yma . . . Mae'n fwy poenus nag arfer heddi . . . (*Mae'n troi i edrych ar y ddelw sy'n dal i fod yn hollol lonydd fel o'r blaen*) . . . Ond ryw ddiwrnod mi fyddan nhw'n flin, o, byddan . . . pan fydda i wedi . . . pan fydda i wedi gwella'n iawn . . . a'r boen i gyd wedi mynd . . . mi ddysga i wers iddyn nhw'r adeg honno. (*Mae'n codi'n frysiog ac yn mynd i'r cwpwrdd unwaith eto*) . . . wyddet ti fod hwn gen i? . . . (*Mae'n tynnu gwn mawr dau faril hen ffasiwn allan*) . . . ŵyr 'run ohonyn nhw . . . does neb yn gwybod . . . (*Mae'n dychwelyd i'w gadair tan wasgu'r gwn yn gariadus i'w fynwes fel petai'n cario baban*) . . . ond mae o gen i ers blynyddoedd rhag ofn . . . (*Bron na welwn ni fflach ffanatig yn ei lygaid am foment*) . . . pwy a ŵyr . . . (*Mae'n troi i edrych ar y ddelw gyda'r olwg bell freuddwydiol yn dychwelyd i'w lygaid yn awr*) . . . Dyna pam rwyt ti'n berffaith saff 'da fi, 'ti'n gweld . . . Fe hoffwn i weld rhywun yn ceisio mynd â thi oddi arna i nawr . . . hyd ange . . . glywaist ti . . . hyd ange . . . Fi a ti fan hyn am byth. (*Daw'r ddelw yn fyw unwaith eto a brysio ato*)

DELW: Mi wyddwn y gallwn i ddibynnu arnoch chi. (*Mae'n eistedd wrth ei draed a rhoi ei phen i bwyso ar ei liniau. Nid yw hyn yn peri dim syndod iddo a dechreua anwesu ei gwallt.*)

GŴR Y TŶ: Wrth gwrs y gallet ti, 'merch i. (*Saib o chwarae â'i gwallt*) . . . mae aur yn dy wallt di.

DELW: Fe allwn gysgu'n awr.

GŴR Y TŶ: A chyn bo hir fe ddaw rhosys cochion i'th ruddiau . . .

DELW: Rwy'n teimlo'n ddiogel am y tro cyntaf erioed—yn gynnes, a chysurus, a dibryder . . . gaf fi aros, yn caf?

GŴR Y TŶ: Does dim bellach all ein gwahanu . . .

DELW: Yn gwmni i'n gilydd am byth . . .

GŴR Y TŶ: Ac yn gysur pan fo'r diwetydd yn anadlu i lawr gwegil rhywun . . .

DELW: A'r machlud yn gwasgu . . .

GŴR Y TŶ (*yn araf a myfyrgar*): A . . . thawelwch yr hirnos . . . yn llethu. (*Ysbaid freuddwydiol eto*) . . . allwn i ddim . . . allwn i ddim ddiodde dy weld ti'n sefyll yno ddydd ar ôl dydd.

DELW: Nos ar ôl nos.

GŴR Y TŶ (*yn ymysgwyd eto o'i freuddwyd*): . . . Ond rwyt ti'n rhydd nawr! (*Mae'n edrych arni gydag edmygedd newydd*) . . . ac yn ddigon o ryfeddod . . . (*Mae fel petai'n cofio am rywbeth yn sydyn*) . . . yn union fel diwrnod y carnifál. 'Ti'n cofio . . . (*Mae'n hercio at y gist ac yn dechrau chwilio eto ymysg y dillad. Rhydd y gwn y tu ôl i'r cwpwrdd.*) . . . Dyma hi! (*Mae'n tynnu het â chantel lydan allan—un a wisgir yn aml ar lan y môr i gadw'r haul o'r llygaid. Rhydd hi ar ben y Ddelw.*) . . . Doedd neb yno mor brydferth â thi . . . mor siapus . . . a'th groen fel gwyddfid yn yr haul . . . gwyddfid a dau rosyn coch . . . (*Daw rhyw olwg drist dros ei wyneb wrth iddo ddwyn yr achlysur i gof*) . . . Trwy'r dydd gwyn fe'th ddilynaist . . . allwn i ddim edrych ar ddim byd arall, ac yn gweddïo am gael digon o blwc i ddweud rhywbeth wrthyt . . . i dorri gair . . . (*Mae yng nghanol ei fyd breuddwydiol eto'n awr*) . . . ond be wnest ti pan ddois i . . . codi dy drwyn . . . troi dy gefn . . . chwerthin . . . o, do, mi'th glywais i di'n chwerthin gyda'r gweddill wrth i mi brysuro i ffwrdd . . . y criw ohonoch chi . . . chwerthin a gwatwar . . . a'r goes yma'n mynd yn drymach a thrymach . . . a'r cyfan oeddwn i'n mo'yn oedd siarad â thi . . . ac . . . ac efallai gafael yn dy law . . . a mynd am wâc fach i lawr i'r traeth. (*Mae'r ddelw sydd wedi bod yn llonydd am dipyn bellach yn bywiogi eto'n awr*)

DELW: Wrth gwrs y dof i nghariad i. (*Yn gafael yn ei law*) Pa ferch ifanc yn ei hoed a'i synnwyr allai wrthod?

GŴR Y TŶ (*yn rhoi ei sbectol ar y bwrdd*): I lawr at y San Meri Ann sy'n tynnu wrth ei hangor . . . i lawr at lan y dŵr . . . (*Sŵn môr yn chwyddo'n amlwg*)

DELW: Law yn llaw a chicio'r tywod yn gawodydd melyn.

GŴR Y TŶ (*yn ddifrifol o deimladwy*): Mi fydd rhaid imi dy gario ar ôl cyrraedd y graean a'r gwymon.

DELW (*yr un mor deimladwy yn ôl*): Rhag taro fy nhroed wrth garreg.

GŴR Y TŶ (*yn ei chipio yn ei freichiau*): Ac yna'r San Meri Ann. (*Mae'r ddau'n chwerthin yn uchel ac y mae ef yn mynd trwy'r mosiwn o'i chario i'r cwch*) Dyna ti. (*Fe rydd y ddelw i lawr ar y gwely, ac fe dry'r cyfan yn gwch dychmygol*) Dim ond codi'r angor nawr . . . a llacio tipyn ar dennyn y *jib* yna.

DELW: Hwi, gwch bach! . . . a gadael y Ffair a'r sŵn . . . a'r malu.

GŴR Y TŶ: Glywi di'r brisyn yna'n gafael nawr?

DELW (*yn edrych i fyny*): A'r hwyliau'n tochio'n swigod gwyn . . . 'chwythodd y gwynt ni i'r Eil o Man' (*Edrych drosodd nawr ac yn rhoi ei llaw yn y dŵr*)

GŴR Y TŶ: Dyma iti beth yw hwylio, 'mechan i.

DELW: Mae'r dŵr yma fel arian byw . . . yn corddi . . . yn berwi . . . ble'r ei di, Twm Pen Ceunant?

GŴR Y TŶ: Hoffet ti fynd rownd y trwyn?

DELW (*wrth ei bodd*): O ie . . . rownd yr Horn, rownd yr Horn!

GŴR Y TŶ: Tynn yr hwyl yna i mewn, ynte, mor dyn ag y medri di. (*Mae'r Ddelw yn tynnu'r rhaff ar ochor dde i'r cwch dychmygol ac yntau'n tynnu'i rhaff ar y stern: yntau wedyn yn gwthio'r llyw i ochor dde'r cwch am eiliad, cyn ei dynnu'n galed yn ôl i'r canol*)

GŴR Y TŶ: Gwylia dy ben. (*Yn gwyro ei phen a chwerthin*) . . . 'a mynd y mae i roi ei droed ar le na welodd dyn erioed'.

DELW (*yn pwyntio i gyfeiriad y lan*): Dacw hi'r hen Eglwys ar y traeth bach . . . glania . . . glania.

GŴR Y TŶ: Glanio? . . . ond nawr . . . dim ond nawr wnaethon ni gychwyn . . .

DELW: Dim ond ni'n dau ar y traeth bach . . . ni'n dau a'r Eglwys . . . wyt ti ddim yn deall?

GŴR Y TŶ: Ni'n dau . . . a'r Eglwys.

DELW (*yn camu o'r cwch*): . . . Dere.

GŴR Y TŶ: Ble 'ti'n mynd? . . . paid â 'ngadael i . . . aros! (*Y ddelw'n awr yn rhedeg yn ysgafndroed o gwmpas*)

DELW: Ceisia nal i, ynte.

GŴR Y TŶ (*bron mewn panic mawr*): Na . . . aros (*Yn ceisio'i dal*) . . . paid â rhedeg . . . paid â rhedeg i ffwrdd . . . (*Yn cael gafael yn ei llaw o'r diwedd*) . . . paid â . . .

DELW (*fel petai'n edrych ar rywbeth*): . . . onid yw hi'n brydferth . . . gad i ni fynd mewn.

GŴR Y TŶ (*Saib*): Ti a fi?

DELW (*Saib*): I'r Eglwys! (*Yn dal ei llaw i ddangos y ffordd. Mae'r ddau yn edrych ar ei gilydd am ennyd*).

GŴR Y TŶ: Wnei di . . .?

DELW: O gwnaf, gwnaf, gwnaf . . .

GŴR Y TŶ: 'Ti'n siŵr . . .?

DELW (*Gwenu*): Ydw. Pam na fyddet ti wedi gofyn yng nghynt . . .?

GŴR Y TŶ (*ar ôl seibiant hir o edrych ym myw llygaid ei gilydd*): . . . Aros funud, 'te . . . (*Cyfyd y gorchudd oedd dros y ddelw ar ddechrau'r ddrama a'i wisgo amdani i gyfleu rhyw fath o wisg briodas.*) . . . Mae'n rhaid . . . mae'n rhaid iti gael gwisg wen. (*Rhwbia lwch oddi ar y gorchudd â godre ei lawes*) . . . ne' mi fydd pobol yn siarad (*Mae'n trefnu'r gorchudd fel ei fod yn hongian dros ei hysgwyddau*) Dyna ni. (*Mae'n camu'n ôl i'w hedmygu*) . . . yn bictiwr!

DELW: Blodau!

GŴR Y TŶ: Wrth gwrs. (*Mae'n cymryd tusw o ddaffodils plastig sydd ganddo mewn llestr ar y silff a'u dodi yn ei dwylo*)

DELW: O, diolch . . . Rhosys cochion.

GŴR Y TŶ: Barod, 'te?

DELW: Ydw! (*Mae'n mynd i sefyll wrth ei hochor yn swil ac yn dal ei fraich iddi. Cymer hithau ei fraich a'r eiliad honno clywir nodau gorfoleddus yr ymdeithgan briodasol yn llenwi'r lle. Cerdda'r ddau i flaen y llwyfan tan gadw amser i nodau'r gerddoriaeth.*)

GŴR Y TŶ (*i gyfeiriad y gynulleidfa ac wedi i'r miwsig ddistewi*): Yr wyf fi yn galw ar y personau sydd yma'n bresennol . . .

DELW: I dystiolaethu fy mod i . . .

GŴR Y TŶ: Yn dy gymryd di . . .

DELW: Yn ŵr . . .

GŴR Y TŶ: Yn wraig . . .

DELW a GŴR Y TŶ (*efo'i gilydd*): Briod gyfreithlon i mi. (*Mae'r ddau'n troi yn swil i wynebu ei gilydd ac yna mae eu gwefusau'n closio'n araf i gusanu. Pan maent ar gysylltu, clywir cnoc uchel ar y drws. Unwaith eto mae'r ddau'n sefyll yn hollol lonydd fel petaent wedi eu parlysu. Clywir cnoc eto dipyn uwch a mwy awdurdodol y tro hwn a deffry'r gŵr fel petai o freuddwyd*).

GŴR Y TŶ (*wrtho'i hun bron*): Pwy . . . pwy sy 'na'n awr? (*Mae'n ymbalfalu am ei sbectol ond deil y ddelw yn hollol lonydd a marw fel o'r blaen*) . . . y plant yna eto, mae'n debyg. (*Daw o hyd i'w sbectol a'i rhoi ar ei drwyn*)

LLAIS LLANC: Agor y drws yma . . .

GŴR Y TŶ (*mewn dychryn*): Nhw—ma'n nhw wedi dod (*Yn rhedeg at y telesgop i edrych allan*)

LLAIS LLANC: Agor y drws yma.

GŴR Y TŶ (*yn edrych trwy'r telesgop*): Ie . . . nhw sy 'na . . . roeddwn i'n ame bod y plant yna wedi dy weld ti (*Mae'n llusgo'r ddelw yn frysiog unwaith eto tua'r cwpwrdd*) . . . ond chân nhw mohonot ti . . . (*Yn ei gwthio i mewn—yn chwilio'n wyllt am yr allwedd yn ei boced*)

LLAIS LLANC: Rydan ni'n gwbod dy fod ti yna, cefndar, felly agor y drws yma cyn i mi roi 'nhroed drwyddo.

GŴR Y TŶ (*mewn panig llwyr yn awr am na all ddod o hyd i'r agoriad*): Ble mae'r allwedd yna? . . . ble rois i hi? . . .

LLAIS LLANC: 'Ti'n clywed be' dwi'n 'i ddeud wrthat ti?

GŴR Y TŶ (*yn crynu gan ofn*): Cer i ffwrdd . . . does 'da chi ddim hawl i fod yma.

LLAIS MERCH: Be' dd'wedais di?

GŴR Y TŶ: 'Sgynnoch chi ddim . . . 'sgynnoch chi ddim hawl i fod yr ochor yma i'r traeth . . .

LLAIS LLANC: Mae gynnon ni bob hawl, y cythral. Agor, wnei di!

GŴR Y TŶ (*Yn gwthio bwrdd yn erbyn y drws*): Mi . . . fydda i'n galw'r polis.

LLAIS MERCH: Beth?

GŴR Y TŶ: Y polîs! Mi fydda i'n galw'r polîs.

LLAIS LLANC: Sut medri di'r cranc? Mi rown i ddeg iti—(*Mae'n dechrau cyfrif yn araf*) . . . un . . . dau . . . (*Rhydd y gŵr gadair arall ar ben y bwrdd yn erbyn y drws*)

LLAIS MERCH: . . . tri . . . pedwar . . . (*Cadair arall*) . . . pump . . . chwech . . . (*Mae'n awr yn gwthio â'i holl nerth yn erbyn y drws*) . . . saith . . . wyth . . . naw . . .

LLANC (*yn neidio i mewn i'r ystafell trwy'r drws sy'n arwain o'r gegin gefn*): Deg! . . . (*Try'r Gŵr mewn dychryn i edrych arno. Mae'r Llanc yn flêr iawn yr olwg gyda'i wallt wedi ei dorri'n fyr fel draenog. Mae pob osgo o'i eiddo yn fygythiol ac fe fyddai'n ddiamau wrth ei fodd yn achosi poen i rywun arall*) Rŵan, 'ta, General Custer—(*Pwyntio at y bwrdd a'r cadeiriau yn erbyn y drws*)—mi gei di dynnu dy faricêd i lawr!

LLAIS MERCH (*y tu allan i'r drws*): Wyt ti i mewn yna?

LLANC: Ydw.

GŴR Y TŶ: Ond sut . . . ble . . .?

LLANC: Y drws cefn, cefndar. Mae pob *General* da'n amddiffyn y tu ôl yn ogystal â'r ffrynt. Rŵan, 'ta—cliria'r rheina (*Yn chwifio ei gansen*) cyn i ti gael blas hon ar dy feingefn. (*Gŵr y Tŷ yn dal i rythu arno fel petai wedi ei barlysu gan ddychryn*) 'Ti'n clwad? (*Yn ei bwnio yn ei stumog*)

GŴR Y TŶ (*yn neidio'n ôl fel petai wedi cael bidog yn ei fol ac yn gweiddi'n boenus*): Paid! (*Mae'n rhaid sefydlu mor aml ag sydd bosib na all ddioddef hyd yn oed y mymryn lleiaf o boen, ac yn ofni unrhyw fath o ffyrnigrwydd yn angerddol*)

LLANC: Y cadeiriau yna i ddechrau. (*Mae Gŵr y Tŷ yn ymbalfalu amdanynt i'w symud ond mae'n rhy ffwdanus i gael gafael ynddynt hyd yn oed, heb sôn am eu codi*) O'r nefoedd! (*Mae'r Llanc yn ei wthio o'r ffordd*) Dos o'r ffordd, y bacha byns, ne' mi fyddwn ni yma drwy'r dydd! (*Mae'n llusgo'r cyfan ag un plwc nerthol i ganol y llawr a dadfolltio'r drws. Daw merch i mewn wedi ei gwisgo'n ddynol fel y mae merched ffair fel arfer, ond nid oes dim byd dynol yn ei chorff siapus; yn wir, mae'n rhywiol iawn ei golwg a'i hymarweddiad.*)

MERCH (*yn cerdded yn araf at Gŵr y Tŷ gyda gwên gellweirus ar ei hwyneb*): Ac i be' oedd isio'n cloi ni allan 'ta blodyn? (*Mae'r Gŵr yn bagio'n ofnus o'i blaen*) . . . Be' sy'n bod? . . . oes arnat ti f'ofn i pisin? . . . a finnau'n meddwl dy fod ti'n lecio merched . . . dy weld di'n gwneud llygada gwely arna i yn y ffair. (*Yn bryfoclyd*) Felly, tyrd yma rŵan, cyw, i ti gael tipyn o fwytha . . .

GŴR Y TŶ: Na . . . does arna i . . .

LLANC (*yn symud cadair y tu ôl iddo ac yn ei orfodi i eistedd ynddi*): Stedda'n fan'na, Romeo!

MERCH: Paid ti â bod yn gas hefo fo rŵan. (*Yn ffug deimladol*) Bechod! . . . (*Mae'r ddau yn sefyll bob ochor iddo ac y mae'r ferch yn rhoi ei llaw am ei ysgwyddau*) . . . Dyna ni, ylwch . . . digon o sioe . . . rŵan 'ta, pam oeddat ti'n gwrthod agor inni rŵan . . . (*Dim ateb*) . . . y? . . .

LLANC: Ateba, crinc . . . (*Yn rhoi hergwd iddo*)

GŴR Y TŶ: Wnes i ddim . . . doeddwn i ddim yn gwybod . . .

MERCH: Mi fydde rhywun yn meddwl bod gen ti rywbeth i'w guddio (*Yn edrych ar y Llanc*) Dim ond pobol euog fydd yn bolltio drysa liw dydd gola.

LLANC: A bildio baricêds a ballu.

MERCH: Felly, beth amdani?

GŴR Y TŶ: Wnes i ddim cyffwrdd ynddi hi . . .

MERCH (*mewn ffug syndod*): Hi? . . . pwy 'hi' . . . ddaru neb sôn dim am 'hi' . . . dwi ddim yn meddwl, naddo? (*Wrth y Llanc*)

LLANC: Naddo . . . neb.

MERCH: Pa *hi* felly?

GŴR Y TŶ: Dwi'n gwybod dim . . .

MERCH: 'I gariad o efalla . . . 'ti'n meddwl bod ganddo fo bisin fach go handi wedi'i chuddio yn y tŷ yma?

LLANC: Synnwn i ddim, ma' golwg digon ych-a-fi arno fo . . .

MERCH: Sôn am dy gariad oeddit ti, tybed . . . ne' dy wraig falla? . . . ie, siŵr . . . 'i wraig o . . . dyna pwy oedd ganddo fo mewn golwg.

GŴR Y TŶ: Ie . . . a 'ngwraig i . . . ma' hi . . .

LLANC: Yli, cefndar . . . dim o'r blydi lol yma . . . mi welodd y costgard di yn 'i chario hi ar dy gefn ar hyd y traeth (*Yn ei wthio nes cnocio ei sbectol i ffwrdd*)

GŴR Y TŶ: Roedd hi . . . roedd hi'n wael . . . wedi . . . wedi llewygu . . . 'i chalon hi.

LLANC: Be'?

GŴR Y TŶ: Mae mam yn cael pylia weithia, 'chi'n gwbod, yn enwedig pan mae hi . . . pan mae hi'n gwneud gormod . . . y trip rownd y trwyn yna ddaru ei chynhyrfu hi . . . dyw hi ddim wedi dod i arfer â'r môr eto.

LLANC (*wrth y ferch*): Sgynno fo fam, 'ta?

GŴR Y TŶ (*mewn byd ar ei ben ei hun yn awr*): Na, falle mai'r briodas fuo'n ormod iddi. Y rhialtwch a'r dathlu . . . fuo hi 'rioed 'run fath ar ôl colli'r baban . . .

LLANC: Be' mae o'n falu—Mam . . . gwraig? . . . be' sgin ti?

GŴR Y TŶ: Petai hi wedi cael llonydd gan y cnaf . . . yn 'i thrin hi fel gwnaeth o . . . rhwygo'r rhosyn coch o'i grudd . . . crafu'r aur o'i gwallt . . . ei thrin fel anifail.

LLANC: *Nut case*, myn diawl. (*Mae'n dangos arwyddion o anniddigrwydd*)

GŴR Y TŶ: A dyna pam mae'n rhaid inni fod yn ddistaw a gadael iddi orffwys . . . heb neb i rythu a gwawdio . . .

MERCH: Yli, paid â thrio bod yn glyfar hefo ni, mêt. (*Mae hithau hefyd yn nerfus gan nad yw yn deall y sefyllfa o gwbwl*)

LLANC: 'Tisio i mi 'i setlo fo . . .?

MERCH: Ble mae hi cyn inni ddechra arnat ti?

LLANC (*yn codi ei lais*): 'Ti'n clwad . . . ble ma' hi? (*Daw'r ddelw i mewn yn awr trwy ddrws y gegin . . . a rhedeg at y Gŵr yn ofnus. Nid yw'r ddau arall yn ei gweld o gwbwl*)

GŴR Y TŶ: Rŷch chi wedi'i deffro hi. (*Yn edrych ar y ddelw*)

MERCH: Deffro pwy? Ble mae hi?

DELW: Paid â gadael iddyn nhw fynd â fi.

GŴR Y TŶ (*yn rhoi ei ddwylo amdani i'w chysuro*): Dim tra bydd anadl yno' i.

LLANC (*yn codi ei law i'w daro*): Gawn ni weld am hynny.

MERCH (*yn ei atal*): Na, aros funud . . . falle'i fod o'n boncyrs go iawn.

GŴR Y TŶ: Does dim rhaid i ti bryderu.

LLANC: Dydan ni'n pryderu dim gyfaill. Actio mae'r gwalch a meddwl y byddwn ni'n mynd oddi 'ma.

DELW: Does dim all ein gwahanu . . .

GŴR Y TŶ: Yn gwmni i'n gilydd am byth . . .

LLANC: Mae gen ti obaith!

MERCH: Falle bydde'n well i ni fynd i nôl y *chief.*

DELW: Yn gysur pan fo'r nos yn anadlu i lawr gwegil rhywun . . .

LLANC: Na, os awn ni, mi fydd wedi cael y gora arnon ni.

GŴR Y TŶ: A'r machlud yn gwasgu . . .

DELW: A'r tawelwch yn llethu . . . (*Mae'r Llanc yn rhuthro am y Gŵr a'i godi gerfydd lapedi ei got*)

LLANC: Yli . . . llai o hynna . . . wyt ti'n clwad?

GŴR Y TŶ (*yn edrych yn bryderus ar y ddelw*): Edrych be' wnest ti . . . rwyt ti wedi rhoi cic iddi . . . Edrych . . . (*Mae'r Llanc yn edrych yn hurt i ble mae'r Gŵr yn edrych*) Fy ngwraig annwyl i . . . (*Mae'r ddelw yn codi a cherdded allan yn drist*) . . . Paid â mynd!

LLANC: Y?

GŴR Y TŶ: Tyrd yma, 'nghariad i.

MERCH: Dydw i ddim yn meddwl mai actio mae o . . . mae o'n gweld petha . . .

LLANC (*fel petai'n colli pob rheolaeth arno ef ei hun*): Ie . . . actio! . . . actio! . . . actio! (*Mae'n dechrau ei ysgwyd a'i beltio*)

GŴR Y TŶ: Paid . . . paid . . .

MERCH: Dwêd ble mae'r ddelw, ynte . . ?

LLANC: Ne' mi cura i di'n ddu-las (*Rhaid i'r olygfa yma ymddangos yn hollol greulon*) 'Ti'n clwad (*Rhoi ei fraich am ei wddw*)

GŴR Y TŶ: 'Ti'n fy nhagu . . .

MERCH: Ble ma hi, 'ta? . . . Dwêd wrthan ni ble mae hi? . . . (*Mae'r Gŵr yn gwneud sŵn rhyfedd yn ei wddf*) Dim rhy galed (*Wrth y Llanc*)

LLANC: Mi'th gwasga i di'n slwts . . .

MERCH: Dim rhy galed ne' fedr o ddeud dim wrthan ni . . .

LLANC (*yn gwrando dim arni*): Chei di mo'r llaw ucha arna i.

MERCH: Paid . . . paid; gollwng o! . . . wyt ti'n clwad—gollwng o! (*Yn gweiddi ar dop ei llais*) Gad lonydd iddo fo'r lob gwirion. (*Mae'r Llanc yn rhyddhau Gŵr y Tŷ ac y mae hwnnw'n disgyn yn ddiymadferth i'r llawr. Mae'r ferch yn rhuthro ato ac yn penlinio wrth ei ochor tra mae'r Llanc yn dal i syllu'n hurt. Yn yr ennyd yma o ddistawrwydd, ymddengys Gŵr y Ffair yn y drws. Gŵr tew gyda het galed frown am ei ben, gwasgod goch a gwisg liwgar amdano, a chwip fach yn ei law.*)

GŴR Y FFAIR: Be' sy'n mynd ymlaen yma? (*Neidia'r ferch ar ei thraed mewn dychryn ac y mae'r Llanc hefyd yn cymryd cam ofnus yn ôl*)

MERCH: Mae o . . . mae o wedi . . .

GŴR Y FFAIR (*yn edrych ar y corff ar y llawr*): Be' dach chi 'di neud rŵan? (*Yn dod i mewn.*)

LLANC: Ddaru mi ond . . .

GŴR Y FFAIR (*Yn ei wthio o'r ffordd*): Dos o dan draed! (*Mae Gŵr y Ffair yn sefyll uwchben y corff ac edrych i lawr arno. Ysbaid hir o ddistawrwydd tra cyfyd ei lygaid i rythu ar y ferch i ddechrau ac yna ar y Llanc. Tywyllwch*).

LLEN

ACT II

Amser: Parhad o'r olygfa flaenorol.

Cyfyd y llen i ddangos Gŵr y Ffair yn penlinio wrth gorff Gŵr y Tŷ. Saif y Llanc a'r Ferch gerllaw.

GŴR Y FFAIR (*yn gwrando am guriad y galon*): Ma'i galon o'n curo, beth bynnag. (*Mae'n troi at y Llanc*) Dos i nôl diod o ddŵr iddo. Reit sydyn. (*Rhuthra'r Llanc i'r gegin gefn*) A thithau (*Wrth y ferch*) Gosod y glustog yna o dan ei ben o (*Mae'n gwneud. Daw'r Llanc i mewn gyda chwpanaid o ddŵr. Wrth y ferch*) Rŵan côd o ar ei eistedd. (*Mae'n troi at y Llanc*) Gwlycha ditha dipyn ar 'i wefus o. (*Y Llanc yn brysio i wneud*) . . . Wn i ddim pam dwi'n gwastraffu f'arian i'ch cyflogi chi . . . fedrwch chi neud dim byd yn iawn . . . affliw o ddim!

MERCH (*yn amneidio i gyfeiriad y Llanc*): Fo gollodd ei limpyn, *chief.*

GŴR Y FFAIR: 'Taswn i ddim mor galon feddal, mi faswn i wedi cael gwarad â chi ers talwm, a dyna be' wna i hefyd un o'r dyddia nesa 'ma. (*Clywir ochenaid yn dod o gyfeiriad Gŵr y Tŷ*)

MERCH: Mae o'n dechra dŵad ato'i hun, dwi'n meddwl.

GŴR Y FFAIR: Ydi, gobeithio, ne' mi fydd hi wedi canu arnoch chi. Diawch, dach chi ddim yn gweld y gallsa sgandal fel hyn fod yn ddigon i ni . . . difetha popeth . . . blynyddoedd o weithio a slafio, misoedd o gynllunio. 'Tasa hwn yn cicio'r bwcad, be' fasa'n digwydd? . . . Colli cydymdeimlad y cyhoedd, dyna i chi be' . . . a be' tasa'r rheini yn troi cefn arna i? . . . ond cofiwch chi hyn—doeddwn i ddim yn agos i'r lle pan ddigwyddodd y peth!

LLANC: Ond chi ddudodd wrthan ni . . . (*Mae'n brathu ei dafod yn sydyn wrth weld Gŵr y Ffair yn rhythu'n fygythiol arno. Cawn ennyd o ddistawrwydd llethol gyda'r tri yn edrych ar ei gilydd.*)

GŴR Y FFAIR: Be' dd'wedaist ti . . . be' ddwedaist ti'r cnaf? . . . (*Yn codi ei chwip yn araf*)

LLANC (*yn swatio yn ôl mewn dychryn*): Dim . . .

GŴR Y FFAIR (*yn camu ato*): Glywais i ti'n fy ateb i'n ôl . . . oeddat ti'n meiddio?

LLANC: Naddo . . . naddo, wir . . . dweud wnes i . . .

GŴR Y FFAIR (*ar dop ei lais*): Paid ti â meddwl y cei di siarad fel 'na â fi . . .

GŴR Y TŶ: Gadewch lonydd iddi . . . llonydd . . . gadewch . . .

MERCH (*yn falch o'r esgus i dorri ar draws*): Mae o'n ceisio dweud rhywbeth . . .

GŴR Y TŶ: Mae ganddi hawl i fod yn rhydd . . . i anwesu . . . a chofleidio . . . a'r gwynt yn chwythu'r aur . . . i gicio'r tywod yn gawodydd.

GŴR Y FFAIR: Be' dd'wedodd o?

MERCH: Sgin i 'run syniad . . .

LLANC: Dyna be' o'n i'n drio'i ddeud wrthach chi . . .

MERCH: Fel 'na oedd o hefo ni . . .

LLANC (*yn fwy na balch fod y sylw wedi ei dynnu oddi arno am y tro*): Ma' ganddo fo sgriw yn rhydd.

MERCH: Roedd o'n deud bod ganddo fo wraig . . .

LLANC: A mam!

GŴR Y FFAIR: Hwn?

LLANC: Dydi o ddim hannar yna.

GŴR Y FFAIR: Drysu mae o . . . Codwch o i ista ar y gadair yna, a rhowch 'i ben o rhwng ei goesa. (*Y ddau yn gwneud hynny*)—dyna'r ffordd ora i'w trin nhw . . . mi ddaw ato'i hun unwaith y bydd y gwaed yn llifo i'w ben o . . . mi fasa cadach gwlyb ar 'i wegil o'n help hefyd.

LLANC (*yn tynnu hances sglyfaethus yr olwg o'i boced*): Ma' gin i hancas . . . (*Yn awyddus i helpu*)

MERCH: Gwlycha hi yn y dŵr, 'ta (*Mae'n gwneud hynny*)

GŴR Y FFAIR: Llaciwch 'i golar o hefyd . . . dyna ni . . .

GŴR Y TŶ: Gadewch lonydd i mi . . .

GŴR Y FFAIR: Sythwch o rŵan i mi gael gweld i wynab o (*Maent yn gwneud hynny*)

GŴR Y FFAIR: Wyddost ti pwy ydw i . . .?

GŴR Y TŶ: Bwystfilod rheibus . . . torri'r egin mân i lawr . . .

GŴR Y FFAIR: Fi ydi Gŵr y Ffair . . . (*Mae pen Gŵr y Tŷ yn disgyn ar ei frest*)

LLANC: Felly gwylia be' 'ti'n 'i ddeud. (*Yn gafael yn ei wallt ac yn ei godi yn ôl*)

GŴR Y FFAIR: Gâd lonydd iddo fo . . . Tact pia hi . . . Yn ara deg ma' dal iâr . . . (*Mae'n chwifio'i law o flaen ei wyneb*) . . . Wyt . . . ti'n gallu . . . 'ngweld i . . .?

GŴR Y TŶ: Gorffwys . . . mae'n haeddu gorffwys.

GŴR Y FFAIR (*o weld dim adwaith i'w chwifio dwylo*): Ydi o'n ddall?

LLANC: Sut gall o fod, on'd ydi o o gwmpas y Ffair yna bob dydd yn ll'gadu popeth . . . yn enwedig hi . . .

MERCH: Roedd o'n gwisgo sbectol gynna.

LLANC: Oedd, 'ti'n iawn . . . (*Mae'r ferch yn edrych o gwmpas y llawr*)

GŴR Y TŶ: Yr addfwyn rai sy'n dwyn y bai . . . o hyd . . .

GŴR Y FFAIR (*yn gwargrymu o'i flaen eto gan rythu yn ei wyneb*): Fi . . . ydi . . . Gŵr y Ffair . . . wyt ti'n deall? . . . Perchennog y cyfan i gyd . . .

MERCH (*yn dod o hyd i'r sbectol*): Dyma hi.

GŴR Y FFAIR: Ac rydan ni'n gwbod ma' ti ydi'r lleidr.

MERCH: Well i mi roi hon am 'i drwyn o. (*Yn gwneud hynny*)

GŴR Y FFAIR: Wyt ti'n fy neall i?

GŴR Y TŶ (*fel petai'n dod yn ymwybodol o'u presenoldeb am y tro cyntaf*): Beth? . . . o ble . . .?

GŴR Y FFAIR: Rydan ni'n gwbod ma' ti dorrodd i mewn i'r *Waxworks* a dwyn y ddelw.

LLANC: Trwy'r ffenast gefn . . .

GŴR Y FFAIR: A mater bach fydda cael y polis i chwilio am ôl bysedd ar y gwydr. Felly, waeth i ti gyfadda ddim . . .

GŴR Y TŶ: Wn i ddim byd amdani . . . fûm i ddim yn agos i'r lle . . . dim erioed.

MERCH: Peidiwch â gwrando arno fo, *chief*.

LLANC: Y llipryn celwyddog!

MERCH: Mae o yna bron bob dydd a dwi wedi'i weld o ganwaith yn rhythu arni.

LLANC: Do . . . fel tasa fo 'rioed wedi gweld merch.

MERCH: Mi sefith am oria o'i blaen hi weithia a golwg bell yn 'i lygad o.

LLANC: A pheth arall, ma'r *Coastguard* wedi'i weld o yn 'i chario hi at fan'ma.

GŴR Y FFAIR: Ond yn fwy na hynny, dwi innau newydd gael prawf pendant o'r peth. Fe edrychodd rhai o'r plant i mewn drwy'r ffenast yna ychydig yn ôl . . . a'i gweld hi hefo fo . . . yn yr ystafell yma! . . . Be' sgin ti i'w ddweud am hynna, rhen ddyn?

LLANC: Dyna fo, 'ta . . . mi drown ni'r lle i gyd tu wynab isa nes down ni o hyd iddi.

GŴR Y TŶ: Na, peidiwch . . . rwy'n erfyn . . . does neb yma . . .

MERCH (*yn wawdlyd*): Ond y wraig, wrth gwrs . . .

GŴR Y TŶ: Ia . . . dim ond y wraig a fi . . .

LLANC: Mae o'n dechra eto . . . Gawn ni ddechra chwilio, *chief*?

GŴR Y FFAIR: Mae'n ymddangos nad oes gynnon ni fawr o ddewis . . . (*Erbyn hyn mae'r ferch wedi dod o hyd i'r gist ble mae'r pentwr dillad*)

MERCH: Hei! Drychwch be' sy'n fan yma. (*Yn codi pentwr o ddillad a hetiau o'r gist*)

LLANC (*mewn syndod*): Wel, ar f'enaid i . . . (*Yn mynd i edrych i'r gist*) *Lucky Dip!*

GŴR Y FFAIR: Be' ydyn nhw?

GŴR Y TŶ: Does gynnoch chi ddim hawl . . .

MERCH (*wrth y Llanc*): Fo sy wedi bod wrthi, felly?

LLANC: Mae'n edrych yn debyg, yn tydi . . . (*Codi gwisg nofio*)

GŴR Y TŶ: Y wraig sy berchen nhw . . .

LLANC: A finnau'n cael bai.

GŴR Y FFAIR: Bai? . . . be' 'ti'n 'i feddwl 'cael bai'?

LLANC: Wedi dwyn y rhain oddi ar y traeth mae o, siŵr iawn.

GŴR Y FFAIR: 'U dwyn nhw . . .?

GŴR Y TŶ (*yn wylofus*): Nage wir, wnes i ddim . . .

GŴR Y FFAIR: Bydd ddistaw! . . . Be' dach chi'n 'i feddwl ''i dwyn nhw''?

MERCH: Wel, ma'r polîs wedi bod yn y ffair acw droeon yn holi . . .

LLANC: Do . . . a rhoi bai arna i . . . meddwl mai fi ddaru . . . a'r sglyfath yna oedd wrthi ar hyd y beit.

GŴR Y FFAIR (*yn pwyntio at y dillad*): Yn dwyn y rheina?

MERCH: Ie—tra oedd pobl oedd pia nhw'n nofio.

GŴR Y FFAIR (*yn deall y sefyllfa o'r diwedd*): Wela i . . . Felly! (*Yn troi at Gŵr y Tŷ.*) Diddorol dros ben . . . mae o'n lleidar wrth natur, felly!

LLANC: Natur od uffernol, 'sa chi'n gofyn i mi (*Tynnu mwy a mwy o'r dillad allan*) 'Drychwch! (*Codi dillad isaf tan chwerthin*)

MERCH: Yr hen ddyn bach budur iti!

GŴR Y FFAIR (*yn codi pethau allan o'r gist â blaen ei chwip*): Casgliad diddorol dros ben, ac os ydi'r polîs, fel dach chi'n deud, yn chwilio am betha sy wedi cael 'u dwyn ar y traeth 'na—mae'n debyg fod rhestr ganddyn nhw ohonyn nhw.

LLANC: Saff i chi . . .

GŴR Y FFAIR (*yn tynnu dillad allan un ar ôl y llall gyda'i ddwylo yn awr*): Fel . . . Ffrog goch a smotiau gwyn. (*Yn codi un i fyny ac yn ei thaflu i'r Llanc*) . . . Côt wau felen. (*Yn codi honno ac yn ei thaflu iddo hefyd*) . . . ffrog arall yn las i gyd . . . (*Mae'n oedi mwy i edrych ar honno*)

GŴR Y TŶ: Fi . . . fi prynodd nhw . . .

MERCH: Ym mhle? . . . pa siop? . . . mi fedar y polîs siecio, cofia . . .

GŴR Y FFAIR (*yn archwilio'r dilledyn yn fanwl*): 'Rhoswch chi, ma' 'na enw rhywun ar hon os nad ydw i'n camgymryd yn fawr . . . oes . . . Be . . . Beth . . . Bethan . . . Ia, dyna fo, Bethan Davies . . . (*Erbyn hyn mae'r ferch yn edrych y tu mewn i'r het*) . . . pwy ydi honno? Dy wraig di?

MERCH: Ma' enw y tu mewn i hon hefyd . . . Einir Jenkins . . .

LLANC: Nefoedd, falla fod ganddo ddwy wraig—fel Arab . . . (*Mae'n chwerthin yn uchel at ei ddigrifwch ei hun. Mae Gŵr y Ffair yn rhythu ar y Llanc ac y mae hwnnw'n peidio chwerthin yn sydyn fel plentyn newydd chwerthin allan o dwrn. Cawn ennyd o ddistawrwydd.*)

GŴR Y FFAIR (*yn troi i wynebu Gŵr y Tŷ*): Dwi'n siŵr y bydd y polîs yn fwy na balch i gael gair bach efo ti . . .

GŴR Y TŶ: Na . . .

GŴR Y FFAIR (*yn edrych o gwmpas yr ystafell*): Ac mi fydda'n ddiddorol ffendio faint o betha erill sy gen ti wedi'u dwyn.

LLANC: Bydda! (*yn rhuthro at y cwpwrdd ac yn ei agor. Disgynna'r ddelw* allan ohono fel darn o bren ond deil hi ddigon buan.*) Nefi! (*Mae Gŵr y Tŷ yn edrych ar y llawr yn euog*)

GŴR Y FFAIR (*yn edrych arno*): Felly . . . (*Mae'r Llanc yn ei thynnu allan ac yn ei dodi mewn lle amlwg ar y llwyfan*)

MERCH: 'Drychwch, mae o wedi gwisgo amdani a phopeth . . . (*Yn plygu i arogli'r blodau*) . . . A blodau, ylwch . . . ogla lyfli . . .

LLANC: Hei, mae o wedi torri'r hancyffs hefyd. (*Mae'r ddelw yn edrych yn hollol gomig a phathetig erbyn hyn*)

GŴR Y FFAIR (*wrth Gŵr y Tŷ, sy'n dal i edrych i lawr yn euog*): 'Ti wedi bod yn cael cythral o hwyl, mae'n amlwg . . . Reit! . . . i'r dre yna hefo ni i weld y sarjant.

LLANC (*yn neidio'n eiddgar i afael ynddo*): Reit!

MERCH (*yn agor y drws*): Well i mi fynd i nôl y fan.

GŴR Y FFAIR: Na . . . na, 'rhoswch funud . . . cheith neb ddeud 'n bod ni heb roi cyfla iddo fo . . . Cau'r drws (*Merch yn gwneud hynny*)

LLANC: Ond, *chief* . . .

GŴR Y FFAIR: Mae gen i enw trwy'r ardal yma am fod yn drugarog, on'd oes . . . be' ti'n ddeud . . .

LLANC: Wel . . .

GŴR Y FFAIR: Sigarét! (*wrth y Llanc*)

LLANC (*ddim yn deall*): Y?

GŴR Y FFAIR: Sigarét, y ffwl—reit sydyn, cyn i mi . . .

MERCH (*yn tynnu blwch allan a'i agor*): Dyna chi, *chief*. (*Yn cynnig sigarét iddo*)

GŴR Y FFAIR (*yn cymryd y cyfan i gyd*): Diolch . . . (*Mae'n dal y blwch yn agored i gyfeiriad Gŵr y Tŷ ond mae hwnnw'n troi ei ben oddi wrtho*) Smôc bach?

LLANC (*yn rhoi hergwd iddo*): 'Ti'n gwrando'r crinc. (*Mae Gŵr y Tŷ yn gwardio mewn dychryn*)

GŴR Y FFAIR (*wrth y Llanc*): Wnei di beidio busnesu am funud. (*Codi'i lais*) 'Ti ddim yn cael dy dalu i feddwl. Dos allan . . . ma'n well gen i gael dy le di. Ia, 'ti'n niwsans glân.

GŴR Y FFAIR (*wrth y ferch*): A thitha hefyd—dwyt titha fawr gwell . . . 'drychwch, dach chi wedi'i ddychryn o allan o fodolaeth . . . allan! (*Mae'r ddau'n rhuthro allan yn frysiog. Mae yntau'n mynd at y drws.*) Steddwch yn fan'na nes bydda i'n galw arnoch chi . . . Dach chi'n deall.

LLAIS LLANC A MERCH: Reit, *chief*! (*Mae Gŵr y Ffair yn awr yn cau'r drws yn ddistaw ar eu hôl ac yn aros am dipyn y tu ôl i Gŵr y Tŷ. Ar ôl ysbaid o ddistawrwydd, mae hwnnw'n codi ei ben yn nerfus i edrych.*)

GŴR Y FFAIR: Dyna ni wedi cael gwarad â'r rheina. (*Gŵr y Tŷ yn mynd yn ôl i'w gragen unwaith eto mewn dychryn*) Does dim rhaid i ti fod fy ofn i . . . dwi'n ddyn rhesymol iawn . . . yn amyneddgar . . . bob amsar yn barod i ystyried bob ochor i'r broblem . . . i bwyso a mesur . . . Dyna ti (*Mae'n taflu sigarét iddo ond y mae Gŵr y Tŷ yn ei gadael i ddisgyn i'r llawr*) Mae yna derfyn ar fynadd Job hefyd, cofia (*Dywed hyn heb godi ei lais. Cyfyd y sigarét o'r llawr a'i dal dan drwyn Gŵr y Tŷ.*) Rho honna yn dy geg!

GŴR Y TŶ: Wi . . . Wi ddim yn smocio.

GŴR Y FFAIR (*Ysbaid hir o ddistawrwydd*): Dwi'n trio 'ngora glas hefo chdi . . . o, ydw . . . cofia di hynna . . . (*Mae'n taflu'r sigarét ac yn cerdded o gwmpas yr ystafell*) . . . ac edrych ar y lle yma. Welis i ffasiwn olwg yn 'y mywyd erioed. (*Mae'n cerdded at un o'r postiau*) . . . a be' ydi hwn ? . . . (*Yn dechrau ei guro â'i ddwrn*)

GŴR Y TŶ: Cymerwch . . . plîs, cymerwch ofal.

GŴR Y FFAIR: Pam? Rhag i'r to ddŵad ar 'n penna ní . . . 'Ti ddim yn meddwl bod y mil dwi wedi'i gynnig i ti am y lle yn fwy na'i werth o? (*Nid yw Gŵr y Tŷ yn edrych arno hyd yn oed*) . . . Gwranda, beth petawn i'n codi'r pris bum cant arall . . . y? . . . be' 'ti'n feddwl o hynna? . . . (*Mae'n tynnu bwndeli o arian allan o'i boced*) . . . Mil a hannar! . . . (*Mae'n eu taflu ar y bwrdd heb fod nepell oddi wrth Gŵr y Tŷ ac y mae hwnnw'n troi i edrych ar yr arian gyda rhyw fflach hiraethus yn ei lygaid. Mae Gŵr y Ffair yn sylwi ar ei ddiddordeb—mae'n tynnu papur swyddogol yr olwg allan o'i boced gesail.*) Ffortiwn o fewn dy gyrraedd di dim ond i ti seinio hwn . . . (*Mae'n dal y papur o dan drwyn Gŵr y Tŷ ac yn cynnig ei ysgrifbin iddo*) . . . Rŵan 'ta, weli di'r lle gwag cynta yna? . . . rho enw'r lle ma fan'na, beth bynnag ydi o . . . ac wedyn ar y gwaelod . . . torri dy enw dy hun

. . . mi fydd y fargan wedi'i selio . . . Fi fydd pia'r sianti 'ma . . . a chdi fydd pia'r bwndal arian yna . . . Diawch, mi fedri di brynu *semi-detached* bach solat tua Lerpwl ne' rwla felly . . . (*Mae Gŵr y Tŷ yn edrych yn feddylgar at y ddelw*) . . .

DELW:* Yn gwmni i'n gilydd am byth . . .

GŴR Y FFAIR: Tyrd—'nei di byth ddifaru . . .

DELW:* Dim ond ti a fi . . .

GŴR Y FFAIR: Chei di byth gynnig fel hyn eto cofia.

DELW:* Yn hwylio'r San Meri Ann rownd y trwyn . . .

GŴR Y TŶ: I le na roddodd dyn ei droed . . .

GŴR Y FFAIR: Y?

GŴR Y TŶ: A chydio dwylo . . .

GŴR Y FFAIR: Am be' 'ti'n falu . . .?

GŴR Y TŶ (*wrth Gŵr y Ffair*): Alla i ddim!

GŴR Y FFAIR: Be' 'ti'n feddwl 'elli di ddim'?

GŴR Y TŶ: Fan hyn rwy'n aros . . . Fydd y nosweithiau hirion ddim yn unig bellach. Na'r machlud yn gwasgu na'r cysgodion yn mygu.

GŴR Y FFAIR: Ond os na werthi di rŵan, mi fyddi di a'r lot i gyd wedi sincio i'r tywod 'mhen chydig o flynyddoedd—sgin ti ddim seiliau, boio . . . (*Mae'n dechrau neidio i fyny ac i lawr*) . . . dim seiliau . . . 'drycha . . . ma'r lle'n crynu fel blomonj yn barod . . . 'drycha. (*Mae'r holl ystafell yn awr yn crynu'n swnllyd*)

GŴR Y TŶ (*Yn edrych yn bryderus at y ddelw wrth ei gweld yn gwegian yn beryglus*): Peidiwch . . . peidiwch rhag ofn . . .

GŴR Y FFAIR (*yn edrych arno ac yna ar y ddelw*): Ac ma' gen ti wraig, felly . . . (*Yn brofoclyd*) Wel, wir fachgan, 'ti 'rioed yn deud. (*Yn cerdded at y ddelw*) a finna bob amsar yn meddwl ma' hen lanc oeddat ti. (*Ysbaid hir yn awr tra bo Gŵr y Ffair yn edrych eto ar y ddelw ac yn byseddu'r cwrlid sydd erbyn hyn yn hongian yn flêr dros ei hysgwyddau*) . . . Faint sy ers pan wyt ti wedi priodi, 'te? Y? (*Deil Gŵr y Tŷ i syllu'n ofnus ar y llawr*) . . . Newydd briodi wyt ti, 'ta? (*Yn symud i fyny at ei gadair*) . . . Yn ystod y dyddia dwytha 'ma, debyg gen i . . . Dwi'n iawn? . . . (*Mae Gŵr y Tŷ yn nodio'i ben yn araf ond yn dal i edrych yn euog*) . . . Hei! (*Yn rhoi pwniad cyfeillgar iddo â'i benelin*) . . . Dwi'n dechra'i gweld hi rŵan . . . priodas sydyn felly . . . hogyn drwg, ia? . . . (*Mae'n dal ei fys i fyny yn ffug geryddgar*) . . . O.

GŴR Y TŶ (*yn ffieiddio'n amlwg wrth y fath awgrym*): O . . . na . . . dim byd felly . . .

GŴR Y FFAIR (*yn mwynhau'r profocio'n awr fwy fyth*): Wrth gwrs hynny! (*Mae'n symud yn ôl at y ddelw ac yn byseddu'r cwrlid eto*) Priodas wen! Priodas barchus! . . . Peth rhyfadd na faswn i wedi clywad hefyd a finna'n byw mor agos . . . ond, dyna fo, dwi wedi bod mor felltigedig o brysur yn ystod y dyddia dwytha 'ma . . . dim cyfla i ddarllan papur newydd hyd yn oed . . . Dwi'n siŵr bod yr hanas ynddyn nhw i gyd . . . (*Erbyn hyn mae Gŵr y Tŷ wedi codi ei ben ac yn edrych yn freuddwydiol i'r gwagle o'i flaen*) . . . Disgrifiad manwl o bopeth . . . pwy oedd yno . . . be' oedd pawb yn 'i wisgo . . . llunia a ballu . . .

GŴR Y TŶ: A phawb yn synnu . . . (*Yr olwg freuddwydiol yn dychwelyd*)

GŴR Y FFAIR: Cannoedd o gests . . .

GŴR Y TŶ: Rhyfeddu a dotio . . .

GŴR Y FFAIR: A'r capal dan 'i sang . . .

GŴR Y TŶ: O, na . . . yn yr Eglwys . . . yr Eglwys fach ar y traeth . . . ac arogl pinwydd a gwyddfid a rhosys cochion . . . a Mair a'r seintiau'n edrych allan o'r marmor . . . croes goch ar yr allor, a'r ffenestri i gyd ar dân . . . a phopeth yn dawel . . . dawel . . . dim byd ond cri'r gwylanod a sibrwd y tonnau . . . (*Try i edrych ar y ddelw yn awr*) A hithau.

GŴR Y FFAIR: O'r gora, 'ta. Mi dd'weda i be' wna i. A fedr neb fod yn decach na hyn. Clyw 'nawr. Mi gei 'i chadw hi. Glywaist ti? Dim ond i ti arwyddo dy fod ti'n gwerthu'r lle i mi, mi gei 'i chadw. Mi anghofiwn am y busnes i gyd, dim polîs, dim byd. (*Yn rhoi'r papur o'i flaen*) Be' dd'wedi di rŵan, 'ta?

GŴR Y TŶ: Hi a fi, y traeth a'r eglwys. Amser yn sefyll yn stond. Ein dal rhwng dau fyd am byth. Hi a fi.

GŴR Y FFAIR: Ond delw ydi honna, was.

GŴR Y TŶ (*heb gymryd yr un sylw lleiaf ohono*): Fel glaw . . . a gwynt . . . Yn rhan o'r patrwm tragwyddol . . .

GŴR Y FFAIR (*gydag ychydig bach o banig yn ei lais*): 'Ti 'nghlwad i, dydi honna ddim byd ond . . .

GŴR Y TŶ: Dim darfod mwyach . . . dim peidio â bod pan fo'r niwl yn codi . . . A'r seiliau o hyn allan yn sicr a chadarn . . . Ti . . . a . . . fi . . .

GŴR Y FFAIR (*yn mynnu rhoi terfyn ar bethau*): Hei! 'Ti'n gall, y cythral gwirion? Dydi hon ddim byd ond . . . ond . . . (*Yn methu dod o hyd i air addas*) . . . ond . . . peth! . . . 'ti'n dallt? . . . PETH! . . . (*Mae'n cnocio ei phen â'i ddwrn ac fe glywir sŵn gwag*) . . . 'Ti'n gweld— lwmp calad! . . . talp o . . . talp o . . . talp o wêr cannwyll mawr wedi'i . . . wedi'i waldio at 'i gilydd i neud siâp . . . (*Yn dechrau chwerthin yn awr*) . . . a wyddost ti siâp pwy? . . . diawl, dyma be' 'di jôc . . . (*Mae'n tynnu cerdyn wedi ei blygu yn ei hanner o'i boced gesail. Mae ysgrifen fras arno a darn o linyn wedi ei glymu wrtho.*) . . . wyddost ti pwy ydi dy annwyl wraig di . . . ? (*Mae'n chwerthin yn afreolus yn awr*) . . .

GŴR Y TŶ: Does dim rhaid i chi . . .

GŴR Y FFAIR: Lisa Prydderch . . . dyna i ti pwy . . . mae o i gyd fan hyn. (*Yn chwifio'r cerdyn ac yn adrodd y rhigwm*):

Lisa Prydderch o Bont Cymera
Laddodd 'i gŵr â chyllall fara
Cuddio'i gorff mewn cist o dderw
Onid oedd yn ddynas chwerw!

(*Mae bron yn ei ddyblau'n chwerthin yn awr*) . . . Mwrdras . . . dyna i ti be' ydi hi—MWRDRAS!

GŴR Y TŶ: Naci! . . . naci! . . . naci! . . .

GŴR Y FFAIR: Waeth ti heb na dadla, mêt . . . ma'r stori i gyd ar y cardyn yma oedd am 'i gwddw hi. Hwnna 'nest ti'i dynnu i ffwrdd a'i daflu cyn 'i chario hi allan . . . be' oeddat ti'n drio'i neud—gadal 'i gorffennol hi ar ôl . . . (*Yn chwerthin yn uchel yn awr at ei glyfrwch ei hun*) . . . Ia, reit dda . . . gadal 'i gorffennol hi ar ôl . . .

GŴR Y TŶ: Nid arni hi roedd y bai . . .

GŴR Y FFAIR (*yn edrych ar yr ysgrifen ar y cerdyn yn awr*): Ydi mae o i gyd i lawr fan hyn, rhen ddyn . . . ar ddu a gwyn . . . o, ydi . . . (*Yn darllen*) . . . Lisa Prydderch. Ganed Pont Cymera 1832. Dienyddiwyd Newgate Llundain 1853. Lladd ei gŵr mewn ffit o dymer efo cyllell fara . . .

GŴR Y TŶ: Doedd ganddi ddim dewis.

GŴR Y FFAIR: A chlyw . . . (*Yn cael mwynhad mawr wrth ddarllen*) . . . Ei drywanu bymtheg o weithiau yn ei fol . . . dyna i ti gythral mewn croen os buo 'na un erioed . . . (*Mae'n darllen yn ddistaw iddo'i hun yn awr*)

GŴR Y TŶ: Ond roedd hi wedi dod i ben ei thennyn . . .

GŴR Y FFAIR: Diawcs, ma' hwn yn fwy diddorol nag o'n i'n 'i feddwl, achgan . . .

GŴR Y TŶ: Alle hi ddim diodde mymryn mwy . . .

GŴR Y FFAIR: A wyddost ti 'i bod hi ddigon digywilydd yn y treial i hawlio *self defence* a deud ma' fo mewn gwirionadd oedd yn greulon hefo hi . . .

GŴR Y TŶ: Ond roedd o . . . dŷch chi ddim yn deall . . . roedd o (*Yn protestio'n uchel yn awr*)

GŴR Y FFAIR (*mewn syndod*): Y?

GŴR Y TŶ: Fel anifail o greulon . . . fel bwystfil . . . (*Dan deimlad mawr yn awr*)
GŴR Y FFAIR: Oeddat ti 'i nabod hi, 'ta?
GŴR Y TŶ: Yn gweiddi ar dop ei lais fel dyn cynddeiriog. (*Mae ei feddwl ymhell bell yn awr*) . . . a minnau'n tynnu'r blanced yn dynn, dynn dros fy nghlustiau rhag i mi glywed, ac yn gweddïo . . . yn gweddïo am gael cysgu a dianc oddi wrth y cyfan i gyd . . . ond alle hi ddim dianc . . . alle hi ddim . . . (*Daw gwên fach i'w wyneb yn awr*) . . . ond weithie . . . weithie, pan fydde fe i ffwrdd . . . fe ddeuai i'm hystafell i gysgu . . . wedyn, swatio'n dynn yn 'i chôl i . . . yn gynnas a chysurus . . . y gwynt a'r glaw ac yntau y tu allan a ninnau'n saff . . . (*Mae'n codi ac yn cerdded yn araf at y ddelw*) . . . Roedd hi'n braf pan oedd ef i ffwrdd—dim ond mam a fi . . .
GŴR Y FFAIR: Dy fam . . .? (*Yn darllen y cerdyn*)
GŴR Y TŶ (*wrth y ddelw*): Ddaw o'n ôl, 'chi'n meddwl?
DELW:* Mae o'n saff o ddod 'machgen i . . . mae o'n dod bob tro. Ond paid ti â phoeni dy ben bach.
GŴR Y FFAIR (*yn dal i ddarllen*): Wela i ddim byd am blant yma . . .
GŴR Y TŶ: Pam mae o mor greulon . . . wrthach chi . . .?
DELW:* Paid â chymryd sylw ohono, bach, un fel'na yw e o ran natur . . .
GŴR Y FFAIR: Mam pwy?
GŴR Y TŶ: Ryw ddydd fe fydda i . . . fe fydda i ddigon mawr i edrych ar eich hol chi . . .
DELW:* Wrth gwrs y byddi di . . . yn fachgen cryf a hardd . . .
GŴR Y FFAIR: Tri mis fuon nhw briod yn ôl hwn.
GŴR Y TŶ: Chaiff e ddim eich cam-drin chi wedyn . . .
DELW:* Na chaiff, fy mabi gwyn i . . .
GŴR Y FFAIR: Mam pwy? . . . a pheth arall, mi gafodd 'i chrogi yn 1853.
GŴR Y TŶ: Angel! (*Wrth y ddelw*)
GŴR Y FFAIR: Be 'wedest ti?
GŴR Y TŶ: Fy Angel i. Rwyt ti wedi gweddnewid popeth.
GŴR Y FFAIR: Ydw i? Sut? (*Nid yw Gŵr y Ffair yn deall y sefyllfa*)
GŴR Y TŶ: Rhoi gobaith newydd i mi. Rhoi pwrpas mewn bywyd. Codi 'ngolygon i. Mae 'na betha i edrych ymlaen atyn nhw nawr. Pethau i'w gwneud.
GŴR Y FFAIR: Clyw, gw' boi, os na stopi di'r lol yma, mi ddon yma i dy nôl di. Dy roi dan glo. Wyt ti am i hynny ddigwydd? Dyma dy gyfle di i gael arian, cael lle iawn i ti dy hun, a gwella. (*Yn troi at y ddelw*) Hon sy'n dy boeni di, yntê? (*At y drws*) Hei, chi'ch dau! Rwyt ti wedi byw ar dy ben dy hun yn rhy hir i gael peth fel hyn o gwmpas.
LLANC (*yn dod drwy'r drws*): Ia, *chief*?

GŴR Y FFAIR: Ewch â hon allan.

LLANC: Reit. Ydach chi eisio help?

GŴR Y FFAIR: Go brin.

LLANC: Reit, *chief*.

MERCH: Rhwbeth i mi i'w wneud?

GŴR Y FFAIR: Bolaheulo! (*Y ddau'n cario'r ddelw allan. Cynnwrf gan Gŵr y Tŷ.*) Paid â chynhyrfu. Dim ond y tu allan i'r drws mae hi.

GŴR Y TŶ: Tyrd, does un dim all ein gwahanu. Tyrd i'r tŷ. (*Daw'r ddelw** 'nôl*). Dyna ti, aros gyda fi.

DELW: Bob amser, 'nghariad i.

GŴR Y FFAIR: Dwi'n aros gyda thi. Dyma fi. Nawr, 'te, eistedd. Eistedd fan'ma i ni gael siarad synnwyr. Does neb ond ni'n dau yma. Wyt ti'n deall? Neb arall.

GŴR Y TŶ: Neb ond ni'n dau. (*Yn edrych yn gariadus ar y ddelw*)

DELW: Neb arall.

GŴR Y FFAIR: Neb. Nawr, 'te . . . Wn i ddim pam dwi'n gwastraffu f'amsar fel hyn efo chdi i ddeud y gwir . . . Ma' gin i betha pwysicach o lawar i'w gneud . . . wyddost ti hynny? Wyddost ti? Diawch, falle fod rhywun yr eiliad yma'n fy ngneud i dan 'y nhrwyn . . . Falla 'mod i wedi colli cannoedd yn barod ers pan dwi'n fan'ma—miloedd falla! . . . (*Mae'n dechrau cerdded o gwmpas yn bwysig yn awr*) . . . Nid yn amal y bydda i'n gadal y Ffair 'na . . . o, na! Ma' rhaid i ddyn edrach ar ôl 'i eiddo os ydi o am 'i gadw fo . . . mi ddysgis i hynna pan o'n i'n ddim o beth . . . ac os bydd o'n troi 'i gefn arno fo'n rhy amal, yna mi collith o fo mor hawdd â phoeri . . . Ma'n nhw yna trwy'r adag, 'ti'n gweld, yn hofran fel haid o gudyllod yn barod i daro . . . yn gwylio a disgwl . . . ac unwaith y daw'r cyfla (*Mae'n chwibanu ac yn gwneud arwydd â'i fraich i efelychu aderyn yn disgyn o'r awyr yn gyflym ar ei ysglyfaeth*) . . . ma'n nhw wedi'i gael o (*Mae'n cau ei ddwrn yn dynn yn awr i ddynodi crafanc cudyll*) . . . ond ma' rhaid iddyn nhw godi'n fore i 'nhorri i . . . a chân nhw byth mo'r cyfle (*Ysbaid hir o rythu ar Gŵr y Tŷ*) . . . Ond roeddwn i'n awyddus iawn i dy weld ti (*Yn ceisio tacteg arall nawr*) . . . Dyna pam y trafferthis i i ddŵad yma fy hun yn bersonol. Pwy ydi hwn, meddwn i . . . Pwy ydi hwn sy wedi troi'i drwyn ar bob cynnig dwi wedi'i neud iddo fo am y lle yma—wedi anwybyddu bob llythyr dwi wedi'i sgwennu . . . sy'n gwrthod siarad hefo 'run o 'ngweision i . . . a hyd yn oed yn gwrthod agor drws i'r Twrna . . . Pwy ydi hwn, meddwn i? (*Ymateb ffafriol o gyfeiriad Gŵr y Tŷ*) Ma' ganddo fo gyts! Dyna'r peth cynta ddaeth i 'meddwl i: ma' gan hwn DIPYN . . . GO . . . LEW . . . O . . . GYTS . . . (*Pwysleisia bob gair. Mae Gŵr y*

Tŷ erbyn hyn wedi mentro i godi i edrych arno.) . . . Ffaith i ti—dwi'n licio rhywun sy'n dangos tipyn o asgwrn cefn, o ydw . . .

DELW (*yn siarad yn araf heb droi ei phen*): Gan bwyll nawr—bydd ar dy wyliadwriaeth . . . (*Gŵr y Tŷ yn edrych arno*)

GŴR Y FFAIR: A dwi'n edmygu dy safiad ti—wedi gneud 'run peth fy hun droeon.

DELW: Mae o mor gyfrwys â sarff . . .

GŴR Y FFAIR: Sefyll yn gadarn dros dy iawndera. Dim byd gwell! (*Ysbaid hir i edrych ar Gŵr y Tŷ*) Doeddat ti ddim yn disgwl i mi ddeud peth fel'na, nag oeddat . . . Y? . . . ond dwi'n ddyn rhesymol, 'ti'n gweld—fel dudis i gynna . . . ac mae gin i barch mawr i rywun sy'n dangos tipyn o gyts.

DELW: Paid â chymryd dy dwyllo ganddo—dwyt ti ddim mor dwp â hynny.

GŴR Y TŶ: Dydw i ddim mor dwp â hynny . . . (*Gyda thipyn o hyder ynddo'i hun*)

GŴR Y FFAIR (*gyda thipyn o syndod*): Y?

GŴR Y TŶ (*yn mynd yn ôl yn ofnus i'w gragen unwaith eto*)

GŴR Y FFAIR: Be' . . . be' ddudist di rŵan . . . Y?

GŴR Y TŶ (*yn gwardio fel petai'n disgwyl bonclust*): Wi . . . wi ddim yn mo'yn . . . gwerthu . . .

GŴR Y FFAIR: Gwatsia di fynd rhy bell, 'ngwas i . . . dwi'n licio gyts ddudis i, ond fedra i ddim diodda blydi *cheek* . . . 'ti'n dallt . . . dim gan . . . neb! (*Seibiant*) Dwi'n trio trw' deg hefo chdi, cofia di hynna! . . . Trw' deg . . . (*Seibiant hir*) . . . Ond dwi'n dy ddeall di, rhen ddyn . . . o, ydw . . . dal nôl wyt ti gan obeithio y bydda i'n codi'r pris eto 'te? Y? Dwi'n iawn? Ma' gin ti dipyn o ben at fusnas, on'd oes? . . . Reit, 'ta! . . . Pum cant arall . . . be' am hynna? Dwy fil ar 'i ben . . . (*Mae'n dal ei law iddo*) . . . Ti'n barod i daro bargan . . . 'ti'n barod i daro . . . (*Deil Gŵr y Tŷ i'w anwybyddu*)

DELW (*yn symud at Gŵr y Tŷ*): Elli di ddim!

GŴR Y FFAIR: A chei di ddim chwanag allan o 'nghroen i . . . o na chei . . . 'run ffadan beni arall!

DELW (*yn ymbilgar*): Yma ma' dy wreiddiau di . . . â'th gefn at y môr . . . elli di ddim symud heb beidio â bod . . .

GŴR Y TŶ: Na! . . . Alla i ddim . . . alla i ddim!

GŴR Y FFAIR (*Codi ei lais eto'n awr*): Be' 'ti'n feddwl—elli di ddim—y ffŵl! . . . Sgin ti ddim dewis . . .

DELW: Ond dewis diodde . . .

GŴR Y TŶ: A dal fy nhir beth bynnag fydd yn digwydd . . .

GŴR Y FFAIR: 'Ti'n meddwl 'mod i'n mynd i adael i ryw ewach bach fel ti gael y llaw ucha arna i?

DELW: Ond elli di—elli di ddiodde'r boen?

GŴR Y TŶ (*yn fyfyrgar*): Y boen . . .

GŴR Y FFAIR: Mi boena i di o fora gwyn tan nos nes ildi di—a dallt di hyn—unwaith y bydda i wedi penderfynu, does dim ar wynab daear Duw yn mynd i fy rhwystro i. Wyt ti'n meddwl i mi gael y Ffair 'na'n bresant gan Santa Clôs? Wyt ti? . . . 'Ti'n meddwl 'mod i wedi'i chael hi ar blât, am ddim? Gwranda, mêt, dwi wedi gweithio, dwi wedi slafio, dwi wedi ymladd hyd at waed i fildio 'nheyrnas . . . Be' wnest ti 'rioed, 'ta? Ateb hynna. Be' sgin ti i'w ddangos heblaw'r sianti 'ma? . . . (*Mae'n edrych o gwmpas yr ystafell*) Nefoedd yr adar, mi fasa gin i gwilydd dangos 'y ngwynab tasa gin i ddim ond hyn i'w gynnig . . . Yli, dos i edrych allan trwy'r ffenast 'na am funud . . . (*Mae Gŵr y Tŷ'n dal i edrych ar y llawr*) . . . Dos! . . . (*Ni wna unrhyw ymdrech i symud*) . . . Gwna fel dwi'n 'i ddeud wrthat ti (*Mae'n ei lusgo gerfydd ei war at y ffenestr*) Rŵan, 'ta, edrych allan i fan 'cw . . . Edrych arni hi. (*Mae'n agor y ffenestr iddo gael gweld yn well*) . . . Weli di hi'n ymestyn fel neidar fawr o ben pella'r traeth acw (*Mae Gŵr y Ffair yn sylwi ar yr ysbienddrych*) . . . Ydi hon yn gweithio? . . . (*Mae'n edrych drwyddi*) . . . Ydi . . . dyna hi fel dinas fawr yn codi o'r tywod . . . Edrych drwy hon, mêt, i ti gael gweld be'di be' . . . (*Mae Gŵr y Tŷ yn edrych drwyddi'n ofnus*) . . . Edrych ar ffrwyth llafur oes reit o dan dy drwyn di—nid yn amal y gweli di olygfa fel'na. Yr Erw Aur . . . dyna be' ma'n nhw'n 'i galw hi—YR ERW AUR! Ac ma'n nhw'n iawn hefyd. Ma' pob modfadd sgwâr ohoni'n berwi efo aur, a chyn bo hir mi fydd dwy erw, tair, pedair! pump! . . . Dyna pam ma' rhaid i ti symud o fan'ma i mi gael lle i ehangu . . . (*Mae golwg ffanatig, bron yn orffwyll, ar ei wyneb yn awr*) . . . Dwi'n mynd i fildio ar hyd y traeth yma i gyd . . . 'ti ddim yn dallt . . . o un cwr i'r llall, a does neb—dim neb byw—yn mynd i'm rhwystro i . . . (*Mae'n cerdded i flaen y llwyfan yn awr â golwg bell yn ei lygaid*) . . . Nid ar chwara bach dwi wedi cyrraedd i ble'r ydw i heddiw, ond trw' chwys fy ngwynab . . .trw' fod yn gadarn . . . trw' sgubo bob anhawstar oddi ar y ffor' (*Mae Gŵr y Tŷ erbyn hyn yn edrych arno'n llechwraidd o gefn y llwyfan*)

DELW: Trwy sathru'r gwan . . .

GŴR Y FFAIR: Mi wnes i addo i mi fy hun pan o'n i'n ddim o beth 'mod i'n mynd i fildio Ffair, a dyna be' wnes i . . .

DELW: A channoedd yn diodde yn y fargen.

GŴR Y FFAIR: Cychwyn fel prentis bach i ddechra mewn stondin saethu, ond trw' iwsio tipyn bach ar hwn (*Yn pwyntio at ei ben*) prynu partneriaeth o fewn blwyddyn.

DELW: Trwy ddwyn a thwyllo . . .

GŴR Y FFAIR: Cyn pen dwy roeddwn i wedi prynu 'mhartnar allan . . .

DELW: Ei orfodi 'ti'n 'i feddwl . . .

GŴR Y FFAIR: A chael bod yn . . . FEISTR. Edrychais i ddim yn ôl wedyn, o naddo, a fuo fi fawr o dro â chodi stondin arall, a chyflogi gwas bach fy hun . . .

DELW: Caethwas!

GŴR Y FFAIR: Ond mi wnes i'n glir iddo fo o'r cychwyn cynta pwy oedd y bos —

DELW: Trwy ei drin o fel ci . . .

GŴR Y FFAIR: A chyn gynted ag y bydda fo'n dangos yr arwydd lleia o fod yn fwy na llond 'i groen, mi fyddwn i ar 'i war o fel tunnall o rwbal.

DELW: Yn greulon a didrugaredd . . .

GŴR Y FFAIR: Dydi ddim yn talu i fod yn rhy ffeind hefo'r tacla—gwna di hynny ac mi fyddan yn cymryd mantais arnat ti'n syth—ma' rhaid 'u cadw nhw'n fan'na (*Mae'n gwneud arwydd i olygu dan ei fawd*)

DELW: Yn y baw . . .

GŴR Y FFAIR: Ble ma'u lle nhw . . . Ond Mistar ne' beidio, doedd gen i ddim amsar i ddiogi a llaesu dwylo . . . roedd rhaid i mi weithio'n gletach nag erioed o'r blaen . . . a mwya'n y byd o'n i'n weithio, mwya'n y byd o stondina o'n i'n 'u codi . . . cocynyts! . . . dartia! . . . rowlio'r geiniog! . . . bagatél . . . taro hoelion wyth . . . byrstio'r balŵns . . . ond yn y chwechad flwyddyn y dechreuodd petha o ddifri . . . MOTO CRASHES . . . yna'r heltar sgeltar . . . wedyn y merigorownd . . . *haunted house* . . . *hall of mirrors* . . . *ghost train* . . . ac i goroni'r cyfan . . . y *big dipper* . . . i fyny ac i lawr . . . ac ma' gin i gymaint o betha eto . . . gymaint o betha eto dwi iso 'u bildio . . . *wall of death* . . . y lloeren . . . y roced . . . fedar neb fy stopio fi rŵan . . . neb! . . . neb!

DELW: Ma rhaid i rywun . . . Duw a ŵyr! . . . mae'n rhaid . . .

GŴR Y FFAIR (*yn tawelu eto'n awr fel petai wedi ymlâdd*): Dyna pam ma' rhaid i mi gael fan hyn . . . ma' rhaid i mi gael lle i ehangu (*Mae'n eistedd i lawr yn flinedig fel petai wedi bod trwy ymdrech galed. Mae'r ddelw yn awr yn rhedeg at Gŵr y Tŷ i ymbilio ag ef. Nid yw Gŵr y Ffair yn ei gweld na'i chlywed, wrth gwrs.*)

DELW: Elli ddi ddim gwneud rhywbeth . . .?

GŴR Y TŶ: Ond beth alla i 'i wneud?

GŴR Y FFAIR: Gwerthu, wrth gwrs, be' arall?—gwerthu yn enw datblygiad (*Gan feddwl mai gydag ef y mae'n siarad*)

DELW: Rhoi terfyn arno unwaith ac am byth, dyna i ti beth . . .

GŴR Y TŶ: Ond mae 'ngolwg i mor wael—rwy bron yn ddall.

GŴR Y FFAIR (*yn edrych arno gyda syndod*): Os ma' dyna sy'n dy boeni di, pam na fasat ti'n deud ynghynt, 'ta? (*Mae'n codi a cherdded ato*)

DELW: Does dim amser i hel esgusodion . . .

GŴR Y FFAIR: Yli, mi gawn i le i ti fel 'na yng nghartra'r deillion (*Mae'n clecian ei fys a'i fawd*) . . . lle cysurus!

GŴR Y TŶ: Ond allwn i byth . . .

GŴR Y FFAIR: Wrth gwrs y galla ti . . . ma' gen i gontacts ar y Cownsil, mi ca' i di i mewn mor hawdd â phoeri.

DELW: Hyd ange' ddywedaist ti . . .

GŴR Y TŶ (*yn freuddwydiol*): Hyd ange . . .

GŴR Y FFAIR: *Guaranteed* boi . . . fedar neb dy droi di allan o fan'no . . . stafall i ti dy hun . . . teledu—wel, set radio . . . tân trydan . . .

DELW (*yn dychwelyd yn drist i sefyll ble'r oedd ar y dechrau*): A finne'n meddwl y gallwn i ddibynnu arnat ti . . .

GŴR Y FFAIR: Popeth yn gweithio fel slecs—dim ond i ti bwyso botwm . . .

DELW: Yn gwmni i'n gilydd am byth . . .

GŴR Y TŶ (*gyda golwg ofnus ar ei wyneb*): Ond fedrwn i byth ddiodde'r boen . . .

GŴR Y FFAIR: Pa boen . . . be' 'ti'n rwdlian?

DELW: Mi fydd rhaid gwahanu, ynte . . . (*Mae'r ddelw yn awr yn symud yn araf at y drws allanol*)

GŴR Y TŶ (*gyda phanig yn ei lais*): Na . . .

GŴR Y FFAIR: Ia—lle bach cysurus i roi dy din i lawr.

DELW: A dychwelyd yn ôl i'm carchar oer . . .

GŴR Y FFAIR: A mi wnaiff les i ti gael tipyn o gwmpeini hefyd . . . hei, ella y cei di afal ar bisin bach go handi, un go iawn, yna, yn lle mwydro dy ben efo honna y tu allan 'na. Be' 'ti'n 'i ddeud?

GŴR Y TŶ: A'r tywyllwch yn tagu (*Mae'n rhythu i'r gwagle o'i flaen yn awr*)

GŴR Y FFAIR: Y?

DELW: A'r machlud yn gwasgu (*Mae'n mynd allan o'r ystafell*)

GŴR Y TŶ: A'r diwetydd yn llethu . . .

GŴR Y FFAIR: Yli, paid â dechra hynna eto . . .

GŴR Y TŶ: A thawelwch yr hirnos yn pwyso a mygu.

GŴR Y FFAIR (*yn dechrau gwylltio'n awr*): 'Ti'n 'nghlwad i?

GŴR Y TŶ (*yn edrych i gyfeiriad y drws allanol ar ôl y ddelw*): Wnawn ni ddim symud cam o'r lle yma . . .

GŴR Y FFAIR: Na wnei di—na wnei di, wir? (*Mae'n agor y drws allanol ac yn gweiddi allan ar y Llanc*) Tyrd â honna i mewn eto (*Mae'n troi i edrych ar Gŵr y Tŷ*) Sgin ti ddim dewis, 'ngwas i—dim dewis o gwbwl (*Mae'r Llanc yn cario'r ddelw* i mewn a gwelwn y Ferch hefyd yn sbecian yn y drws*) Gâd hi'n fan'na. (*Rhydd y Llanc hi i sefyll wrth ymyl y drws*)

LLANC: Dach chi 'di setlo fo eto, *chief*?

GŴR Y FFAIR: Bron iawn.

LLANC: Dim ond i chi ddeud y gair, cofiwch, ac mi . . .

GŴR Y FFAIR: Allan! (*Mae'r Ferch yn diflannu o'r drws*)

LLANC: Reit, *chief*! (*Mae yntau'n mynd allan yn gyflym ac mae Gŵr y Ffair yn cau'r drws yn glep ar ei ôl*)

GŴR Y FFAIR (*yn troi at Gŵr y Tŷ eto*): Sgin ti ddim dewis, 'ngwas i, achos ma' lleidar wyt ti, ac ma' lle i gadw'r rheini. (*Mae'n cerdded at y gist ble mae'r dillad lliwgar*) Ma' digon o brawf yn fan'ma. (*Mae'n codi'r gorchudd gwyn oedd am y ddelw ar y dechrau*) ac yn fwy na hynny, mi fedra i brofi iddyn nhw nad wyt ti ddim hannar call . . . ac yn hollol anghyfrifol i edrych ar d'ôl dy hun (*Mae'n cerdded at y ddelw*) Ia, dyna be' wna i, mynd â'r cwbwl i'r polîs stesion (*Mae'n taflu'r gorchudd dros y ddelw*)

GŴR Y TŶ (*gyda theimlad*): Na!

GŴR Y FFAIR (*yn siarad â'r ddelw fel petai*): Gwell i mi dy lapio di hefyd, ne' mi fydd pobol yn dechra meddwl 'mod inna'n dechrau colli arni (*Mae Gŵr y Tŷ mewn panig llwyr yn awr, a gwelwn ef yn rhuthro i ble mae ei ddryll wedi ei gadw*)

GŴR Y TŶ (*yn gafael yn dynn yn y dryll*): Peidiwch!

GŴR Y FFAIR (*yn tynnu llinyn hir allan o'i boced*): Fydda i ddim chwinciad yn gwneud parsal ohonot ti.

GŴR Y TŶ (*yn bustachu i godi ar ei draed gyda'r dryll yn ei law*): Na . . .

GŴR Y FFAIR (*yn clymu'r cwrlid amdani gyda'r llinyn nes ei bod yn edrych fel* Egyptian Mummy): Dyna ni . . .

GŴR Y TŶ (*yn sgrechian yn awr tan bwyntio'r dryll at Gŵr y Ffair*): Gadewch lonydd iddi . . .

GŴR Y FFAIR: Yli, llai o hynna ne' mi . . . (*Mae'n troi i edrych arno ac yn gweld y dryll yn ei law am y tro cyntaf*)

GŴR Y TŶ: Gadewch iddi fod . . . (*Yn dal y dryll yn fygythiol*) . . .

GŴR Y FFAIR: Be' 'ti'n drio'i neud . . .?

GŴR Y TŶ: Does neb i gyffwrdd ynddi . . .

GŴR Y FFAIR (*gyda golwg reit ofnus arno erbyn hyn*): Rho . . . rho hwnna . . . rho'r gwn yna i lawr . . .

GŴR Y TŶ: Neb i roi ei ddwylo arni. (*Mae Gŵr y Ffair yn gwneud am y drws ond y mae Gŵr y Tŷ yn mynd i sefyll â'i gefn arno ac yn gwthio'r follt i'w lle. Mae wedyn yn codi'r dryll a'i bwyntio at ben Gŵr y Ffair*) . . . Hyd . . . ange' . . . d'wedais i . . .

TYWYLLWCH A LLEN

ACT III

Amser: Parhad o'r olygfa flaenorol.

Cyfyd y llen i ddangos Gŵr y Tŷ yn dal i bwyntio'r dryll yn fygythiol at Gŵr y Ffair. Mae'r ddau yn rhythu ar ei gilydd am ysbaid ac yna mae Gŵr y Tŷ yn rhoi cam ymlaen. Mae'r ddelw o hyd wedi ei lapio yn y cwrlid.*

GŴR Y FFAIR: Clyw . . . paid . . . paid â bod yn ynfyd (*Mae'n codi ei law*) . . . Rho fo i mi . . . (*Mae'n gwneud osgo fach i symud ato*)

GŴR Y TŶ: Sa'n ôl! (*Mae Gŵr y Ffair yn camu'n ofnus yn ôl*) . . . Ha . . . 'ti f'ofn i nawr ond wyt ti . . . 'ti f'ofn i . . .

GŴR Y FFAIR: Rho hwnna i lawr cyn i'r chware droi'n chwerw . . .

GŴR Y TŶ: Gollwng hi'n rhydd, ynte (*Yn amneidio at y ddelw*)

GŴR Y FFAIR (*yn gwneud ymdrech fawr i wenu*): Dwi'n gwbod be' 'ti'n neud . . . Tynnu 'nghoes i . . . dwi'n gwbod yn iawn . . . tynnu 'nghoes i wyt ti . . .

GŴR Y TŶ: Datod y cordyn yna . . .

GŴR Y FFAIR: A pheth arall, sgin ti ddim cetris yn'o fo . . .

GŴR Y TŶ: Wyt ti am i mi wasgu'r glicied yma i ddangos iti, 'te? . . . (*Mae'n gwneud osgo i wneud*)

GŴR Y FFAIR: Na! . . . na . . . rhag ofn . . . wyddost ti ddim . . .

GŴR Y TŶ (*gyda rhyw hyder newydd yn ei lais*): O, fe wn i! Felly datod y cordyn yna, a gollwng hi'n rhydd. (*Ysbaid*) Nawr!

GŴR Y FFAIR (*yn llamu i wneud*): Reit . . . dwi'n gneud . . . (*Mae'n datod y llinyn*) Dim ond cellwair o'n i . . . (*Mae Gŵr y Tŷ yn chwipio'r cwrlid i ffwrdd*)

GŴR Y TŶ (*yn taflu'r cwrlid i'r llawr*): Dyna ti—yn rhydd unwaith eto.

DELW: O . . . diolch . . . roeddwn i'n gwybod . . .

GŴR Y TŶ: Fe dd'wedais y byddwn i'n ddigon mawr ryw ddydd, on'dofe . . .?

DELW: Do — yn fachgen cryf a heini (*Mae Gŵr y Ffair yn sylweddoli fod Gŵr y Tŷ yn rhoi ei holl sylw i'r ddelw ac y mae unwaith eto yn symud yn araf i gyfeiriad y drws allanol*)

GŴR Y TŶ: Chaiff neb eich cam-drin chi eto . . .

DELW: Na chaiff . . . na chaiff, fy mabi gwyn i.

GŴR Y TŶ: Dim tra bydda i yma . . . (*Mae Gŵr y Ffair bron â chyrraedd y drws pan wêl Gŵr y Tŷ ef*) Waeth i ti heb ddim, 'ngwas i. Ti yw'r carcharor nawr . . . (*Yn pwyntio'r dryll ato*)

GŴR Y FFAIR: Ond fedri di ddim . . .

GŴR Y TŶ: Fe alla i wneud unrhyw beth fynna i . . . (*Yn anwesu'r dryll*) tra bydd hwn gen i . . . (*Clywir cnoc ar y drws.*)

GŴR Y TŶ (*yn pwyntio'i wn yn fygythiol eto*): Dim gair . . . (*Distawrwydd llethol am ysbaid ac yna cnoc arall*) Pwy sy 'na? (*Gyda llais rhyfeddol o debyg o ran sain ac acen i Gŵr y Ffair*)

LLAIS MERCH: Fi, *chief*!

GŴR Y TŶ: Be' 'tisio . . . Y?

LLAIS MERCH: Dach chi'n hir iawn.

GŴR Y TŶ: Dwi wedi deud wrthat ti am gadw draw nes bydda i'n galw—'ti ddim yn deall?

LLAIS MERCH: Reit, *chief*! (*Mae'n mynd i ffwrdd. Ysbaid ddistaw o wrando yn awr nes mae Gŵr y Tŷ yn torri allan i chwerthin. Mae'r ddelw yn ymuno ag ef ac yna, ar ôl edrych ar Gŵr y Tŷ am ychydig, mae Gŵr y Ffair yn gwneud ymdrech i chwerthin hefyd.*)

GŴR Y FFAIR: Ia . . . da iawn. Da iawn (*Yn chwerthin yn uchel yn awr*)

GŴR Y TŶ (*yn peidio â chwerthin, a'r wên yn rhoi lle i olwg bell ddifrifol*): Unrhyw . . . beth . . . dan haul . . .

GŴR Y FFAIR (*yn dal i chwerthin*): Mi fasa rhywun yn taeru ma' fi oeddat ti. (*Erbyn hyn, hefyd, mae'r ddelw wedi peidio â chwerthin ac y mae'r ddau yn edrych yn ddifrifol ar Gŵr y Ffair*) . . . Mi fasat ti'n gwneud dy ffortiwn ar y llwyfan.

GŴR Y TŶ (*yn uchel a llym*): Beth yw'r joc?

GŴR Y FFAIR: Y? (*Yn peidio â chwerthin yn sydyn*)

DELW: Pa destun chwerthin sydd ganddo fo?

GŴR Y TŶ (*yn cerdded yn araf a bygythiol ato*): Ie, be' sy'n ddigri?

GŴR Y FFAIR (*yn bagio'n ofnus o'i flaen*): Ond meddwl o'n i . . .

GŴR Y TŶ: Dwyt ti ddim yn cael dy dalu i feddwl . . .

GŴR Y FFAIR (*â'i gefn ar y wal erbyn hyn gyda'r ddau'n closio amdano*): Hanner munud . . .

DELW: Dim ond i ymateb yn ddigwestiwn . . .

GŴR Y TŶ: I bob gorchymyn . . . wyt ti'n deall . . . i bob gorchymyn gen i . . . Saf ar un goes!

GŴR Y FFAIR: Y?

GŴR Y TŶ: Nawr! (*Mae Gŵr y Ffair yn codi un goes yn araf*) Dyna ti . . . nawr, 'te, dy freichiau ar led (*Mae Gŵr y Ffair yn dal ei ddwy fraich i fyny wrth ei ochr*) . . . Reit dda (*Yn chwerthin gan droi at y ddelw*) . . . 'Ti ddim yn ei weld o'n debyg i'r hen grëyr glas 'na fydd ar y traeth ben bora. (*Mae Gŵr y Ffair yn dechrau gwegian ac yn gorfod rhoi ei law yn erbyn y mur i gadw ei gydbwysedd*) . . . a dim cyffwrdd yn y mur yna . . . dos i sefyll i ganol yr ystafell (*Mae Gŵr y Ffair yn mynd*) . . . Nawr, 'te, unwaith eto . . . un goes i fyny . . . breichiau ar led . . . (*Mae Gŵr y Ffair yn cael trafferth mawr i gadw ei gydbwysedd yn awr er mawr difyrrwch i'r ddau arall*) . . . Newid i'r goes arall. (*Newid coes*) . . . 'Run arall. (*Newid eto*)

GŴR Y TŶ: 'Run arall. (*Newid coes eto*) Chwith! (*Newid coes*) Dde! (*Newid coes*) Chwith! (*Newid coes*) De! (*Newid coes*) (*Mae'n cyflymu ei orchmynion yn awr fel y mae Gŵr y Ffair yn ymddangos yn union fel petai'n dawnsio*)

DELW: Gwna iddo ddawnsio.

GŴR Y TŶ: Ie, pam lai . . . Dawnsia! . . .

GŴR Y FFAIR: Fedra i ddim, 'y nghalon, 'y nghalon i (*Bron allan o wynt yn barod*)

GŴR Y TŶ (*yn anelu ei wn ato'n fygythiol*): Dawnsia, dd'wedais i . . . Dawnsia! (*Mae Gŵr y Ffair yn dechrau dawnsio*) Symud o gwmpas dipyn . . . mae gen ti ddigon o le . . .

DELW: Cyflymach! (*Mae'n dechrau amseru'r curiad trwy guro'i dwylo*)

GŴR Y TŶ: Cyflymach . . . Cyflymach . . . (*Mae Gŵr y Ffair yn ceisio cyflymu wrth i'r ddelw a Gŵr y Tŷ gyflymu eu curiad dwylo*) Cyflymach . . .

GŴR Y FFAIR (*bron wedi ymlâdd*): Fedra i ddim . . . fedra i ddim . . . ma' 'nghoesau i . . .

DELW A GŴR Y TŶ: Cyflymach . . . cyflymach . . . cyflymach . . .

GŴR Y TŶ (*yn dechrau ymgolli'n llwyr yn awr yn ei awdurdod dros Gŵr y Ffair*): . . . Uwch . . . Cod y traed yn uwch . . . (*Pan mae wedi ymgolli'n llwyr yn yr hwyl, gwelwn y ddelw'n llonyddu ac yn rhewi unwaith eto*) . . . Uwch . . . trot, trot fel y gaseg wen, trot, trot, trot, i'r dre . . . Uwch eto . . . (*Mae'r tŷ i gyd yn dechrau crynu'n awr—y to'n clecian a'r llawr yn siglo tra bo'r ddelw'n gwegian uwchben ei thraed fel yr oedd pan oedd Gŵr y Ffair yn neidio yn ystod yr ail act*) . . . Uwch . . . uwch. (*Mae Gŵr y Ffair yn baglu ac yn disgyn yn bendramwnwgl i'r llawr. Da o beth fuasai cael ambell ddarn o bren neu glwt o blaster yn disgyn o'r to ar eu pennau. Mae Gŵr y Tŷ yn edrych i fyny tua'r to ac yn gwrando ar y trawstiau'n clecian. Mae'n rhuthro'n wyllt a gafael yn dynn am un o'r pyst sy'n cynnal y to. Ar ôl ysbaid, llonydda'r cynnwrf, ac y mae'n ddistaw unwaith eto heblaw am anadlu trwm Gŵr y Ffair sy'n dal i eistedd ar y llawr.*)

GŴR Y TŶ (*yn edrych ar Gŵr y Ffair*): 'Ti'n gweld be' wnest ti . . . 'ti'n gweld . . . mi fu bron i ti dynnu'r to ar ein penna ni . . . (*Mae Gŵr y Ffair wedi ymlâdd gormod hyd yn oed i godi ei ben i edrych arno*)

Dim ond y dim . . . (*Mae'n troi i edrych ar y ddelw sy'n edrych yn fud a phathetig*) . . . Wyt ti'n iawn? . . . (*Dim ymateb*) . . . wyt ti'n iawn, fy nghariad i . . . wyt ti'n iawn . . .?

DELW: Mae'n dawel eto'n awr. (*Ysbaid o dawelwch, a chlywir su'r tonnau y tu allan, a chri gwylan yn y pellter*) . . . Dim ond sibrwd y tonnau a chri'r gwylanod . . .

GŴR Y TŶ (*yn troi at Gŵr y Ffair a golwg wyllt ar ei wyneb*): Ac mi fu bron i ti ddifetha popeth, y twpsyn hurt i ti!

GŴR Y FFAIR: Diod . . . ga i . . .? (*Mae'n ymbalfalu yn ei boced ac yn tynnu bocs bach allan*)

GŴR Y TŶ: Beth?

GŴR Y FFAIR: Faswn i . . . faswn i ddim yn cael diod bach gynnoch chi? (*Mae'n ceisio tynnu pilsen allan o'r bocs*) . . . i olchi'r bilsen yma i lawr.

GŴR Y TŶ: O, *chi* ife—*chi* nawr, ife. Na chei ddim (*Mae'n taro'r bocs o law Gŵr y Ffair nes mae'r cyfan yn sgrealu o gwmpas y llawr i gyd*) Be' wnes ti pan oedd hi'n ymbil arnat ti . . .?

GŴR Y FFAIR (*yn ceisio ymbalfalu am bilsen*): Ond ma' rhaid i mi . . .

GŴR Y TŶ (*yn ei bwnio'n ôl â baril ei ddryll*): Gymeraist ti sylw ohoni hi'n erfyn . . .?

DELW: Yn crefu . . .

GŴR Y TŶ: Roedd hi'n nefoedd pan oeddit ti i ffwrdd . . .

DELW: Yn gysurus a saff . . .

GŴR Y FFAIR (*bron yn wylo'n awr*): Ond dach chi ddim yn gweld, ma' 'nghalon i . . .

GŴR Y TŶ: A be' ddaru hi i ti erioed i haeddu'r fath driniaeth . . .? (*Mae ei acen yn tyfu i fod yn rhyfeddol o debyg i un Gŵr y Ffair*)

GŴR Y FFAIR: Ond wnes i ddim . . .

GŴR Y TŶ: Rwy'n cofio'r noson fel 'tai hi neithiwr. (*Mae golwg bell yn ei lygaid yn awr*) . . . y gweiddi a'r rhegi . . . y curo . . . ac yna'r sgrech, ei sgrech hi . . . Fe redais i ben y grisiau a dy weld yn taro, taro a tharo fel rhywbeth gwallgo . . . yn taro'n ddidrugaredd, a hithau'n ymbil am i ti beidio . . .

GŴR Y FFAIR: Rŷch chi wedi gwneud camgymeriad . . .

GŴR Y TŶ: Ac yn glafoerio'n feddw . . . (*Mae'n troi i edrych yn gariadus ar y ddelw*)

DELW: A'r boen fel saethau poeth trwy'r cnawd—yn clymu a rhwygo'r ymysgaroedd (*Mae'n rhoi ei llaw ar ei bol fel petai'n teimlo rhywbeth yno*) . . . a'r cicio bach yn darfod . . . Roeddwn i'n gwybod y foment honno 'mod i wedi'i golli o . . .

GŴR Y TŶ (*yn fyfyrgar a thrist*): Colli'r coch o'i grudd a'r aur o'i gwallt . . . colli'r awydd i fyw. Enaid yn pydru ac yn peidio â bod . . . dim mwy o gofleidio ac anwesu a'm gwasgu'n dynn . . . dim mwy o chwarae ar y tywod gyda'r nos a'm cario dros y cerrig garw . . . dim . . . dim byd ar ôl (*Mae'n troi i edrych ar Gŵr y Ffair gyda holl atgasedd y cread ar ei wyneb*) . . . Ddaru neb 'rioed gasáu ei dad fel y gwnes i dy gasáu di!

GŴR Y FFAIR: Ond y nefoedd a ŵyr—dydw i ddim yn dad i ti . . . sut y galla i fod?

GŴR Y TŶ (*yn anelu ei ddryll ato'n fygythiol eto*): Ond mae'r amser wedi dod i dalu'r pwyth . . .

GŴR Y FFAIR (*bron yn sgrechian*): Paid . . . peidiwch!

GŴR Y TŶ: Clyw fel mae'n gwichian . . .

DELW (*gyda golwg o gasineb ar ei hwyneb hithau'n awr*): Fel mochyn mewn lladd-dy!

GŴR Y FFAIR (*yn wylo bron*): Gadewch lonydd i mi!

GŴR Y TŶ: Clyw arno'n llefain heb rithyn o hunan-barch . . .

GŴR Y FFAIR: Fe wna i rwbath i chi ond i chi adael i mi fynd—rwbath!

GŴR Y TŶ: Rhy hwyr, rhen ddyn! (*Gyda'i acen eto'n rhyfeddol debyg i un Gŵr y Ffair ond heb fod yn fwriadol y tro hwn. Fe fydd hyn yn digwydd yn raddol o hyn ymlaen nes bydd, erbyn diwedd y ddrama, yn siarad yn union fel Gŵr y Ffair.*)

DELW: Daeth dydd o brysur bwyso . . .

GŴR Y FFAIR: Ond nid fi ddaru, dach chi ddim yn dallt, nid fi ydi'ch dyn chi—GŴR Y FFAIR ydw i! (*Rhaid cofio, pan mae Gŵr y Ffair yn ymarfer y ffurf 'chi', mai gwneud hyn oherwydd parchedig ofn tuag at Gŵr y Tŷ y mae, ac nid oherwydd ei fod yn cyfarch mwy nag un person, achos dim ond y ddelw lonydd ac nid merch y mae ef yn ei weld o hyd.*)

GŴR Y TŶ: Perchennog yr hyrdigyrdi!

GŴR Y FFAIR (*yn falch o weld fod Gŵr y Tŷ yn dal i ddeall hyn*): Ia . . . dyna fo!

GŴR Y TŶ (*yn drist yn awr*): Mae pawb yn mynd i'r ffair . . . chwerthin a chanu . . .

GŴR Y FFAIR: Wrth gwrs 'u bod nhw . . . ac fe gei ditha ddŵad . . . digon o hwyl a sbri . . .

DELW: Meddwi a malu . . .

GŴR Y FFAIR: Ma' croeso iti bob amser—croeso mawr . . .

DELW: Sgrechian a chadw stŵr . . .

GŴR Y FFAIR: Yli . . . fasat ti'n licio gweithio i mi . . . Beth am hynna, 'ta? . . . mi gei di swydd gen i fel . . .

DELW: Caethwas!

GŴR Y FFAIR: Goruchwyliwr y *Chamber of Horrors* . . . 'ti'n licio fan'no, on'd wyt? . . . Mi sacia i'r ddau yna . . . reit, chdi fydd pia'r lle . . . wel, i radda, felly . . . ac mi fildia i fflat bach i ti yn y cefn . . .

DELW: I rythu a gwawdio gyda'r lleill.

GŴR Y TŶ: Na wnaf byth! . . . paid ti â cheisio . . . chei di ddim fy mhrynu i fel'na—y cnaf i ti!

GŴR Y FFAIR: Ond dwi'n berwi hefo arian . . . fe alla i dy wneud yn ddyn cyfoethog . . . yr Erw Aur, cofia . . . byw fel brenin am weddill dy ddyddiau . . .

DELW: Dwyn dy dreftadaeth—dy gloi mewn cell.

GŴR Y TŶ (*yn uchel a bygythiol unwaith eto*): Dwyn y cyfan sy gen i, a fy nghloi i fyny . . . dyna ddywedais di gynna . . . fy nghloi i fyny . . .

GŴR Y FFAIR: Ond dwi wedi deud wrthat ti . . . wrthach chi . . . ma' tynnu'ch coes chi roeddwn i . . . cellwair . . . pryfocio . . .

GŴR Y TŶ: A'm trin fel ci bach . . . (*Yn codi'r gwn eto*) . . . ond dim mwy . . .

GŴR Y FFAIR: Rhoswch! . . . mi ranna i'r cyfan hefo chi . . . ia, dyna fo, mi'ch gwna i chi'n bartner!

GŴR Y TŶ (*gyda syndod*): Beth?

GŴR Y FFAIR: Partneriaid . . . chi a fi . . .

GŴR Y TŶ: A! . . . 'ti'n meddwl 'mod i'n dwp . . .

GŴR Y FFAIR: Dim o gwbl—mi ranna i'r cyfan—'run faint yn union i bob un ohonon ni . . .

DELW: A chael gwared ohonot ti'r cyfle cynta gâi o . . .

GŴR Y TŶ: 'Thrystiwn i ddim mohonot ti hyd braich . . .

GŴR Y FFAIR: Mi ga i dwrna i roi'r cwbwl ar bapur . . . popeth yn gyfreithlon.

GŴR Y TŶ: Rhannu'r cyfan . . .

GŴR Y FFAIR: Popeth sy gen i . . .

GŴR Y TŶ (*yn fyfyrgar yn awr gyda gwên fach yn dechrau ymddangos ar ei wyneb*): . . . Coconyts . . . dartia . . . taflu'r cylch.

GŴR Y FFAIR (*yn falch o weld fod Gŵr y Tŷ yn bachu'r abwyd*): Ia . . . dyna fo . . . rowlio'r geiniog a bagatél . . .

GŴR Y TŶ: Taro'r hoelion wyth a byrstio'r balŵns.

GŴR Y FFAIR: *Hall of mirrors*.

GŴR Y TŶ (*yn fwy cynhyrfus*): Heltar Sgeltar!

GŴR Y FFAIR: *Moto crashes*! (*Mae'n codi ar ei draed yn awr*)

GŴR Y TŶ: Merigorownd.

GŴR Y FFAIR: Olwyn Fawr!

GŴR Y TŶ (*cynhyrfus iawn yn awr*): Y *Big Dipper* . . . i fyny ac i lawr . . . i fyny ac i lawr . . .

GŴR Y FFAIR (*wrth ei fodd yn awr*): Ie . . . i fyny ac i lawr . . . i fyny ac i lawr . . .

GŴR Y TŶ: Rownd a rownd . . .

GŴR Y FFAIR: Rownd a rownd . . .

GŴR Y TŶ (*wedi ymgolli'n llwyr yn ei freuddwydion yn awr*): . . . i fyny ac i lawr . . . rownd a rownd . . .

GŴR Y FFAIR A GŴR Y TŶ: I fyny ac i lawr . . . rownd a rownd . . . (*etc . . . etc . . . etc . . .*)

DELW (*yn drist ac uchel*): Stondinau saethu! . . . Tai Bwganod! . . . Trên Ysbrydion! . . . (*Mae Gŵr y Tŷ yn sobri'n sydyn ac yn troi i edrych arni*)

GŴR Y FFAIR (*yn llawn brwdfrydedd o hyd*): Fe gymerwn y traeth i ni'n hunain . . .

DELW (*gyda golwg ddioddefus ar ei wyneb*): Pebyll Erchylltra! Siamberi Arswyd! . . .

GŴR Y FFAIR (*yn edrych yn awyddus unwaith eto o gylch yr ystafell*): Fe allwn ni dynnu fan hyn i gyd i lawr mewn diwrnod ne' ddau . . .

GŴR Y TŶ (*ar dop ei lais*): Na! . . . rydan ni wedi cael digon arnat ti a dy siort . . .

DELW: Yn dwyn a threisio . . .

GŴR Y FFAIR (*wedi synnu eto wrth weld nad ydyw Gŵr y Tŷ wedi ei argyhoeddi*): Ond . . . dwi'n . . . dwi'n barod i rannu hannar 'y nheyrnas hefo . . . chdi.

GŴR Y TŶ: Yn sathru a rheibio!

GŴR Y FFAIR (*gyda'i wyneb yn llawn dychryn eto*): Ond . . . chi . . . a fi . . .

GŴR Y TŶ: Dim peryg—ma' petha wedi newid rŵan (*Gydag acen Gŵr y Ffair.*) . . . Ni sy'n galw'r diwn (*Yn anwesu a dangos ei ddryll*) . . . a chdi sy'n gorfod dawnsio.

GŴR Y FFAIR: Ond wnes i ddim—dwi'n ddieuog.

GŴR Y TŶ: Dieuog? (*Mae'n troi at y ddelw*) Glywaist ti be' dd'wedodd o—y cythral. (*Yn ei bwnio â blaen ei ddryll eto*)

GŴR Y FFAIR: 'Rhoswch! Peidiwch!

GŴR Y TŶ: Ar dy linia . . .

GŴR Y FFAIR: Ond mae . . .

GŴR Y TŶ: Ar dy linia, dd'wedis i . . . (*Yn codi ei ddryll i anelu ac y mae Gŵr y Ffair yn disgyn ar ei liniau y munud hwnnw*) . . . y bwystfil di-gydwybod iti!

DELW: Ar dy linia.

GŴR Y TŶ (*yn edrych ar y ddelw*): Ia . . . o flaen dy well i fan'na *(Yn pwyntio at lecyn yn union o flaen y ddelw)* . . . i fan'ma! (*Mae Gŵr y Ffair yn cropian yn drwsgl a llafurus nes daw'n union o flaen y ddelw*) . . . a thynn yr het yna i ddangos parch i'r Barnwr. (*Mae'n cymryd ei het ac yn ei rhoi am ei ben i hun*) . . . a'r gôt yna hefyd—dyw hi ddim yn addas iawn i Lys Barn. (*Yn ei thynnu a'i thaflu ar y bwrdd*) Ma'r wasgod yna'n waeth fyth . . . tynn hi! . . . tynn hi! (*Yn rhwygo honno i ffwrdd a'i thaflu am ben y gôt ar y bwrdd*) . . . gad i mi dy weld ti heb dy blu . . . (*Mae'n troi i edrych arno unwaith eto*) Dyna fo, ylwch—er ei holl orchast, yn llewys ei grys mae o fel pawb arall.

DELW: Yr wyf yn dy gyhuddo di o . . .

GŴR Y TŶ : Greulondeb!

DELW: Trais!

GŴR Y TŶ: Gormes!

DELW: Llofruddiaeth!

GŴR Y TŶ (*yn gweiddi'n uchel*): A chodi Ffair!

DELW: Y rhai diniwed a ofynnodd i ti am drugaredd . . .

GŴR Y TŶ: A be' wnest ti, be' wnest ti pan oedden nhw'n gweddïo am dipyn o lonydd a thawelwch ond taro! Taro! Taro! A'u gwneud yn sgerbydau cyn eu hamser—eu sgubo o'r ffordd i wneud lle i dy hyrdigyrdi—eu sathru i'r llwch i godi dy ferigorownd a honno'n troi o fora gwyn tan nos fel chwrligwgan—troi, troi, troi, heb fynd i unlle a phawb yn feddw gaib.

DELW: Yr amddifad a ofynnodd i ti am gysur . . .

GŴR Y TŶ: Ond doedd gynnoch chi ddim amser i ni . . . troi eich cefnau i sibrwd yn dawel mewn corneli, tyrru at eich gilydd ysgwydd wrth ysgwydd i chwerthin a gwawdio . . . rowlio'ch ceiniogau, byrstio'ch balŵns, sugno'ch talpia rhew; gwisgo'ch hetia lliw tan wichian a giglan . . . rhuthro i lawr yr Heltar Sgeltar yn goesau i gyd . . . (*Ysbaid*) . . . Welsoch chi mohoni hi! . . . doedd dim lle i mi yn dy Ffair ond fel cocyn hitio!

GŴR Y FFAIR: Ond wyddwn i ddim . . .

GŴR Y TŶ: Glywaist ti ddim . . . yr wylo . . . distaw . . . dioddefus (*Ei feddwl ymhell nawr*)

DELW: Y rhai newynog a ofynnodd i ti am fara.

GŴR Y TŶ (*yn dod ato'i hun eto*): Ac fe roist iddynt gerrig—cerrig beddau . . . Dwyn y tir o dan eu traed i godi stondin saethu . . . Chwalu cartrefi i adeiladu Tai Bwganod a Siamberi Arswyd . . . Lladd goleuni i gynhyrchu tywyllwch . . . Llunio cyffion ac offer artaith yn enw Datblygiad . . . (*Mae'n codi ei lais yn awr*) . . . Creu *poen* er mwyn dy blydi Ffair!

GŴR Y FFAIR (*yn wylo*): Doeddwn i ddim yn meddwl . . .

GŴR Y TŶ: Dyna dy ddrwg di—wnest ti rioed feddwl am neb ond amdanat ti dy hun . . . neb! . . . neb! (*Yn rhoi cic iddo*)

GŴR Y FFAIR (*yn mynd i'w gilydd yn union fel yr oedd Gŵr y Tŷ yn yr ail act*): Peidiwch . . . alla i ddim diodde poen.

GŴR Y TŶ (*wedi newid ei acen yn llwyr erbyn hyn*): Ond poenau rhywun arall! Dydi petha ond dechra'r llipryn . . . dim ond dechra . . .! (*Mae'n troi at y ddelw*) Y dyfarniad!

DELW: Euog!

GŴR Y TŶ: Glywist ti . . . glywist ti be' dd'wedodd y Barnwr—Euog! Euog! Euog!

GŴR Y FFAIR: Maddeuant . . .

GŴR Y TŶ: A'r ddedfryd?

DELW (*yn araf ac yn bwyllog*): Yr wyf yn dy ddedfrydu di i beidio â bod.

GŴR Y FFAIR: Maddeuant—rwy'n edifarhau am bopeth.

GŴR Y TŶ (*yn codi ei ddryll i anelu*): Rhy hwyr . . . dwêd dy bader!

GŴR Y FFAIR: Peidiwch! . . . Yn enw'r nefoedd, peidiwch! . . . Mi gewch y cyfan gen i.

GŴR Y TŶ: 'Ti wedi deud hynny o'r blaen . . . a dwi inna wedi deud na.

GŴR Y FFAIR: Ond y cyfan rwy'n 'i feddwl—nid yr hanner y tro yma, ond y cyfan!

GŴR Y TŶ (*yn gostwng ei ddryll eto*): Y?

GŴR Y FFAIR: Fe gewch y Ffair i gyd . . . bob erw aur ohoni . . . bob modfadd sgwâr . . . bob stondin . . . Fe fydda i'n was bach i chi . . . dyna fo . . . yn gweithio i chi dan gyflog—yn was bach a chitha'n Feistr.

GŴR Y TŶ (*yn fyfyrgar*): Yn Feistr?

GŴR Y FFAIR: Ar y cyfan i gyd, a phawb yn ufuddhau i bob gorchymyn.

DELW: Paid â gwrando arno . . .

GŴR Y TŶ: Na . . . dwi'n gwbod am dy dricia di rhy dda.

GŴR Y FFAIR: Ond wna i ddim gofyn llawer—dim ond digon o gyflog rhag llwgu—digon i fyw, dyna i gyd—Fe allwn i ofalu am un stondin i chi . . .

DELW: Ac yna dwyn a thwyllo a thyfu eto i'th saethu di.

GŴR Y TŶ: 'Thrystiwn i mohonat ti 'run cae â fi . . .

GŴR Y FFAIR: Fe gadwn draw, 'ta . . . dim ond y chi yna . . . Fe ddo i fan hyn.

GŴR Y TŶ (*mewn syndod*): Fan'ma?

GŴR Y FFAIR: Mi fydd rhaid i mi gael to uwch fy mhen—rhywle i fyw . . .

DELW: I drefnu a chynllunio sut i daro'n ôl—i ddisgwyl am ei gyfle fel cudyll.

GŴR Y TŶ: Na chei . . . byth bythoedd . . . Ac ma' rhaid i ti godi'n fora i 'nal i . . . peth arall (*Yn meddwl am rywbeth*) . . . peth arall, mi fydda i isio'r lle yma.

GŴR Y FFAIR: Ond mi fydd rhaid i mi gael rhywle . . .

GŴR Y TŶ: O, na fydd . . . chlywis ti mo'r ddedfryd?

DELW: I beidio â bod!

GŴR Y TŶ: Fyddi di ddim yma, rhen ddyn . . . dim yn bod . . . (*Yn edrych ar ddillad Gŵr y Ffair ar y bwrdd*)

GŴR Y FFAIR: Fe â' i ffwrdd, ynte—fe a' i ffwrdd ymhell o'ch golwg chi . . . o'ch cyrraedd chi . . .

GŴR Y TŶ (*yn gafael yn ei het ac yn edrych arni*): Pob erw . . . a phawb yn ufuddhau. (*Mae'n rhoi'r het am ei ben*) . . . a dydw i ddim yn mynd i edrach ar ryw ewach bach run fath â chdi yn sefyll . . . yn sefyll rhyngo i a be' dwi isio . . . unwaith y bydda i wedi penderfynu cael rhwbath sdim byd—sdim byd ar wynab y ddaear yn mynd i'm rhwystro i. (*Adlais amlwg o araith Gŵr y Ffair*)

GŴR Y FFAIR: Fe wna i rwbath dim ond i chi . . .

GŴR Y TŶ: Ac ma' 'na derfyn ar fynadd Job hefyd, dallt di . . . (*Mae'n codi'r wasgod goch i edrych arni, yna'n ei rhoi i lawr a thynnu ei gôt liain ei hun*) . . . wn i ddim pam dwi'n gwastraffu f'amser fel hyn hefo chdi i ddeud y gwir. (*Mae'n gwisgo'r wasgod goch*) . . . ma' gin i betha pwysicach o lawar i'w gneud . . . Diawch, falla fod rhywun yr eiliad yma'n fy ngneud i dan 'y nhrwyn tra mod i'n dal pen rheswm fan hyn . . . (*Mae'n tynnu'r amlen swyddogol allan o boced côt Gŵr y Ffair*)

GŴR Y FFAIR (*yn edrych wedi llwyr ildio erbyn hyn*): Dim ond llonydd . . . llonydd.

GŴR Y TŶ (*yn darllen y papur gyda diddordeb*): Na . . . fedri di ddim aros fan hyn—ma' rhaid ehangu . . . 'ti ddim yn deall—o un cwr o'r traeth i'r llall . . . (*Mae'n rhoi'r papur iddo*) . . . seinia hwn . . . a rho enw'r Ffair yn y sgwâr bach cynta yna . . . Yr Erw Aur! . . . (*Mae Gŵr y Ffair yn ysgrifennu*) . . . Dyna ti . . . a thorra dy enw ar y gwaelod . . . (*Mae'n gwneud*) Dyna ni . . . y fargen wedi ei selio . . . does neb yn mynd i'm hatal i rŵan (*Mae'n rhoi'r papur yn ôl yn ei boced*) Ma' hi wedi bod yn frwydr rhy hir a chaled i mi ddangos gwendid rŵan . . . mae'r aberth wedi bod yn rhy fawr. (*Mae'n codi ei ddryll eto*) Rhaid sgubo pob anhawster o'r ffordd . . . ei wasgu allan o fodolaeth. (*Mae bron yn orffwyll yn awr gyda'i bŵer newydd*)

GŴR Y FFAIR (*yn ymbilio i'r ddelw yn awr*): Byddwch drugarog.

GŴR Y TŶ: Nid ar chware bach dwi wedi cyrraedd lle'r ydw i heddiw.

GŴR Y FFAIR (*wrth y ddelw*): Rwy'n edifeiriol . . .

GŴR Y TŶ (*yn chwerthin*): Hei! 'ti'n gall, y cythral gwirion? (*Mae'n pwyntio at y ddelw*) Dydi honna ddim byd ond . . . ond peth! (*Mae'n cnocio ei phen â'i ddwrn fel y gwnaeth Gŵr y Ffair o'r blaen*) 'Ti'n gweld—lwmp caled—talp o wêr cannwyll wedi'i waldio i siâp. Lisa Prydderch!

GŴR Y TŶ (*mae Gŵr y Ffair yn crymu ei ben a chuddio'i wyneb yn ei ddwylo*): 'Ti'n gweld? (*Yn gafael yn ei wallt a chodi ei ben*) 'Drycha arni.

GŴR Y FFAIR: Peidiwch . . . mae 'mhen i'n hollti a'm llygaid i ar dân.

GŴR Y TŶ: Tynn dy ddwylo i lawr, 'ta a sbia arni . . . sbia ar dy lwmp o gŵyr.

GŴR Y FFAIR: Tywyllwch! . . .

GŴR Y TŶ: Y?

GŴR Y FFAIR (*yn hollol doredig yn awr*): Alla i . . . alla i weld dim, dim golau . . . dim byd!

GŴR Y TŶ (*yn chwifio ei law o flaen ei wyneb yn union fel y gwnaeth Gŵr y Ffair iddo yn Act 2*): . . . yn ddall bost!

GŴR Y FFAIR: Nodwyddau poeth . . . tywyllwch . . . Yn gwasgu a llethu . . . niwl . . . cy . . . gw . . . (*Mae ei siarad yn dirywio i fod yn ddim ond sŵn annealladwy*)

GŴR Y TŶ: Ond dwi'n ddyn rhesymol . . . o, ydw (*Mae'n tynnu ei sbectol ac yn ei rhoi ar drwyn Gŵr y Ffair*)

GŴR Y FFAIR: Trw . . . ff . . . chw . . . mmm . . . (*Nid yw bellach ond ynfytyn—swpyn o gnawd ac esgyrn yn anadlu—dyna i gyd*)

GŴR Y TŶ (*ar ôl ysbaid o edrych arno yn feddylgar*): Na . . . cheith neb ddweud na wnes i ddim dangos trugaredd . . . mi ga' i le i ti i lawr yn y dre . . . (*Mae'n cerdded at y drws a'i agor ac yna'n gweiddi allan*) Hei! chi'ch dau—dowch yma. (*Mae'n cerdded yn ôl i'r ystafell*) Dy gloi di i fyny'n saff hefo rhywun i edrach ar d'ôl di. (*Mae'r llanc a'r ferch yn rhuthro i mewn*)

GŴR Y TŶ (*yn troi i'w hwynebu*): Reit . . . mae o'n barod i fynd. (*Cawn ennyd hir o ddistawrwydd yn awr wrth i'r llanc a'r ferch edrych o un i'r llall, ond buan y mae'r ddau'n gwneud eu meddyliau i fyny*)

LLANC A MERCH: Reit, *chief* (*Mae'r ddau'n mynd i afael un bob braich iddo*)

MERCH: Mae o'n crynu fel deilen.

GŴR Y TŶ: Falla' i fod o'n oer—Gwisgwch o. (*Llanc yn mynd i nôl y gôt liain a'i gwisgo am Gŵr y Ffair*)

LLANC (*wrth ei glywed yn ramblio'n orffwyll*): Ma' hi'n hen bryd cloi hwn i fyny . . . Allan â chdi. (*Maent yn ei wthio at y drws*)

MERCH: A beth am hon? (*Yn amneidio at y ddelw sydd erbyn hyn yn hollol lonydd ac yn edrych yn union fel delw gŵyr.*)

GŴR Y TŶ: Gadewch hi ble mae hi.

MERCH: Reit, *chief*!

GŴR Y TŶ (*Maent yn mynd allan gan adael Gŵr y Tŷ a'r ddelw ar ôl. Mae Gŵr y Tŷ yn troi i edrych ar y ddelw*): Dim byd ond lwmp o gŵyr wedi ei waldio i siâp. (*Mae'n dod o hyd i'r cerdyn gyda hanes Lisa Prydderch arno*) Lisa Prydderch! (*Yn ei ddarllen*) Ie, dyna pwy wyt ti.

Lisa Prydderch o Bont Cymera
Laddodd 'i gŵr â chyllell fara.
Cuddio'i gorff mewn cist o dderw
Onid oedd yn ddynas chwerw!

(*Mae'n gosod y cerdyn am wddw'r ddelw*)

GŴR Y TŶ (*yn edrych o gwmpas y tŷ ar y tywod*): Fydda i ddim chwinciad â thynnu'r lot i lawr . . . rhaid gwneud lle . . . (*Mae'n troi at y gynulleidfa*) . . . Ma' gin i gymaint o betha dwi isio'u gwneud . . . Siamberi Arswyd! . . . Muriau Marwolaeth! . . . Lloeren yn troi fel chwrligwgan . . . Roced yn rhuthro fel cath i gythral . . . Mi fyddan nhw'n tyfu fel myshrwms dros y lle i gyd . . . mwy o Fadarch . . . Madarch mwy . . . Ymlaen â'r Ffair!

A'r eiliad hwnnw, gyda phob dyfais bosib—sain, goleuadau, fflatiau symudol etc . . . mae'r Tŷ ar y Tywod yn troi i fod yn Ffair.

Dramâu Gwenlyn Parry:
y casgliad cyflawn

Dramodydd pwysicaf Cymru tua diwedd yr ugeinfed ganrif oedd Gwenlyn Parry, un y disgrifiodd Saunders Lewis ef fel 'bardd o ddramäydd' ac a ddisgrifiwyd fel 'meistr y ddelwedd estynedig a bardd lluniau' gan Elan Closs Stephens. Am ei waith, dywed Annes Gruffydd yn y Rhagymadrodd i'r gyfrol hon: 'Dramâu ydyn nhw nid i'r pen ond i'r galon a'r llygaid a'r clustiau.'

Y dramâu hirion yn y gyfrol yw *Saer Doliau* (1966), *Tŷ ar y Tywod* (1968), *Y Ffin* (1973), *Y Tŵr* (1978), *Sal* (1980) a *Panto* (1989).

1 85902 779 2
£19.95